아버지들의 아버지

상

아버지들의 아버지

베르나르 베르베르 장편소설
이세욱 옮김

상

LE PERE DE NOS PERES
by
BERNARD WERBER

(C) Éditions Albin Michel S. A., 1998
Korean Translation Copyright (C) The Open Books Co., 1999

바르나베에게

한국어판 서문

내 소설이 한국어로 번역된다는 것은 내게 큰 영광이자 기쁨입니다. 내가 가서 보고 깊은 애정을 갖게 된 한국은 나에게 아주 중요한 나라가 되었습니다.

프랑스에서 나는 이따금 이런 질문을 받습니다. 어떻게 해서 내가 프랑스에서보다 한국에서 더 유명하게 되었느냐고. 그럼 나는 이렇게 대답합니다. 프랑스에서는 기자들이 새로 나온 책들을 모두 읽을 시간이 없어서 자기 친구들의 책만 읽지만, 한국의 기자들은 훨씬 더 투철한 직업의식을 갖고 있는 모양이라고.

물론 내가 이런 소리를 하면 프랑스의 기자들은 별로 좋아하지 않지만, 그건 사실입니다.

내 작품에 대해서 한국의 독자들이 큰 관심을 보이는 데는 또 다른 이유가 있습니다. 내 작품의 번역자 이세욱

씨의 뛰어난 자질이 바로 그것입니다. 그는 내 책을 번역할 때마다 나를 인터뷰하고 나의 의도와 소설의 행간에 감추어진 뜻을 알기 위해서 많은 노력을 기울입니다.

한국은 아시아에서 가장 먼저 나를 발견한 나라입니다. 그 점이 나를 뒤늦게 발견한 일본인들의 비위를 조금 거스르는 듯합니다.

나는 1994년의 서울 여행에 대해서 감명 깊은 추억을 지니고 있습니다. 그때 나는 세계에서 가장 중요한 국가들의 반열에 오르고 있는 한 나라를 보고 있다는 느낌을 받았습니다. 단지 국민들이 뭔가를 이루고 싶어 한다는 것을 느꼈기 때문만이 아니라, 사람들이 책을 많이 읽고 세계의 움직임에 깊은 관심을 갖고 있다는 인상을 받았기 때문입니다. 아마도 그 점이 한국에서 내 책들이 성공을 거둔 또 다른 이유들 중의 하나일 것입니다. 나 역시 많은 한국인들처럼 범상한 것을 변화시키는 새로운 어떤 것, 즉 새로운 테마, 새로운 발상, 새로운 이야기 방식을 만들어 내기 위해 과감한 시도를 합니다. 과거의 풍부한 자원을 활용하되, 그것을 미래의 보물로 만들 수 있어야 한다는 것이 내 생각입니다.

나는 나의 모든 책에서 우리의 역사에 대해 새로운 각도에서 이야기하려고 노력합니다. 우리가 어떤 점에서 성공을 했고 어떤 점에서 실패를 했으며 미래에 우리가 실패 없이 오로지 성공만을 하기 위해서는 어떻게 해야 하는지를 알기 위해서입니다.

이 소설 『아버지들의 아버지』는 인류의 기원이라는 가장 심원한 역사에 관한 성찰입니다. 즉, 최초의 인간은 어떻게 해서 존재하게 되었으며 그들의 일상적인 삶은 어떠했는지, 그리고 우리의 세포 속에는 그들의 자취가 얼마나 남아 있는지에 대해서 생각해 본 것이지요.

내가 보기에, 우리 안에 남아 있는 동물적인 것, 〈짐승 같은〉 것이 무엇인지를 아는 것은 대단히 중요한 일입니다. 우리가 동물성에서 벗어나려면 우선 우리 안에 있는 동물적인 것을 정확히 발견해야 합니다. 우리가 우리의 사냥감과 맺었던 동물적인 관계는 우리 인간들끼리 맺고 있는 관계와는 전혀 다른 것입니다.

자 이제 막이 오릅니다. 내가 이 소설을 쓰면서 누렸던 기쁨을 여러분도 똑같이 맛보게 되기를 기대합니다. 다들 준비가 되셨습니까? 그럼 갑시다.

1999년 3월 17일
베르나르 베르베르

제1부　빠진 고리 ──────────── 15

제2부　인류의 요람 ──────────── 237

내가 생각하는 것,
내가 말하고자 하는 것,
내가 말하고 있다고 믿는 것,
내가 말하는 것,
당신이 듣고 싶어 하는 것,
당신이 듣고 있다고 믿는 것,
당신이 듣는 것,
당신이 이해하고 싶어 하는 것,
당신이 이해하고 있다고 믿는 것,
당신이 이해하는 것,
이렇게 열 가지 가능성이 있기에 우리는 의사 소통에
어려움을 겪는다.
하지만 설령 그럴지라도
우리는 서로를 이해하기 위한 노력을
포기하면 안 된다…….

에드몽 웰즈, 『상대적이며 절대적인 지식의 백과사전』

제 1 부

빠진 고리

1. 세 가지 질문

우리는 누구인가?
우리는 어디로 가는가?
우리는 어디에서 왔는가?

2. 바다에 던진 병

프랑스 파리.
현대.
아제미앙 교수는 부엌에서 나와 서재로 들어갔다.
그는 책상 앞에 앉아 검은 볼펜을 잡더니, 메모철에 이렇게 썼다.

〈됐다. 마침내 나는 발견했다. 인간이라면 누구나 자문해 보아야 할 세 가지 근본적인 질문 중의 하나인 ≪우리는 어디에서 왔는가?≫에 대한 답을 나는 알고 있다.〉

그는 다음 말을 찾느라고 잠시 뜸을 들이다가 뭔가에 쫓기는 사람처럼 다급한 손놀림으로 다시 적기 시작했다.

〈나는 최초의 인간이 언제 나타났는지 알고 있다. 어느날, 한 동물이 복잡한 정신을 가진 존재로 바뀌었다. 워낙 정신이 복잡하고 미묘해서 이제는 생식기에 합성수지를 씌운 채 섹스를 할 수 있고 매일 4시간씩 텔레비전을 볼 수 있으며 숨막히는 지하철 차량에 수백 명씩 자진해서 들어가 북적거릴 수 있게 된 그 존재로 변한 것이다. 나는 그 변화가 어떻게 해서 일어났는지를 안다.〉

그는 입술을 길게 늘여 메마른 미소를 짓고 한숨을 크게 내쉰 다음 계속 써 나갔다.

〈나는 인류가 왜 그리고 어떻게 생겨났는지를 알고 있다. 달리 이름 짓기가 마땅치 않아서 우리가 흔히 ≪빠진 고리≫[1]라고 부르는 그것의 정체를 나는 안다.〉

그의 뺨이 발작적인 경련으로 일그러졌다.

〈이건 무시무시한 비밀이다. 내가 이것을 누설하게 되

---

1) 다른 말로 미싱 링크. 진화의 어느 한 단계에 존재했다고 가정될 뿐 실제로는 화석이 발견되지 않은 생물종 일반을 말한다. 일반적으로 현생 인류와 그 조상 사이에 존재한다고 가정되는 중간 단계의 존재를 가리킨다.

면 온 세상이 발칵 뒤집힐 것이다. 바로 그런 사정 때문에 나에겐 그대, 이 글을 읽는 그대의 도움이 필요하다. 그대는 절대로 나에게 무관심해서는 안 된다.〉

볼펜의 잉크가 더 이상 나오지 않았다. 그는 서랍에서 서둘러 다른 볼펜을 찾았다.

〈나의 발견은 의심의 여지가 없다. 그러나 그대는 이런 경우에 사람들이 어떤 반응을 보이는지 알고 있을 것이다. 대부분의 사람들은 들은 척도 하지 않는다. 더러 듣는 시늉을 하는 사람들은 있지만 그들은 귀담아듣지 않는다. 어쩌다 귀기울여 듣는 사람들이 있지만 그들은 이해를 하지 못한다. 혹여 이해하는 사람들이 있을 수는 있지만 그들은 자기들과 상관없는 일로 여기고 만다. 이렇게 아무도 받아들일 준비가 되어 있지 않다면 인류의 비밀을 공개한들 무슨 소용이 있으랴? 선물을 주는 것만이 능사는 아니다. 사람들에게 그것을 받아들일 준비를 시켜야 한다. 지구가 둥글다는 지식은 아주 점진적으로 퍼져 나갈 수밖에 없었다. 빠진 고리의 비밀을 알리는 것도 아주 서서히 이루어져야 한다. 어느 누구의 반발도 불러일으키지 않고, 그저 너무 오래전부터 잠들어 있는 예전의 호기심을 일깨운 다음 그것을 충족시키는 방식으로만.〉

아제미앙 교수는 방금 쓴 대목을 다시 읽어 보고 나서 이렇게 이어 나갔다.

〈이건 사람들을 아연 실색케 할 비밀이다. 아프리카 대륙에서 나의 연구를 시작하기 전만 해도 나는 내가 이런 것을 발견하게 되리라고는 꿈에도 생각하지 못했다. 그러나 내 말을 믿어 주기 바란다. 나는 진리를, 한치의 거짓도 없는 진리를 찾아냈고, 그 증거도 가지고 있다.〉

그는 이마에 송골송골 맺히는 땀을 손으로 닦아 냈다.

〈그대가 없으면, 그대의 믿음과 지지가 없으면, 나의 모든 노력이 수포로 돌아가고 말 것이다. 그대, 나를 도와주기 바란다. 이제 때가 되었다. ≪우리는 어디에서 왔는가?≫라는 중대한 질문에 대한 답을 밝힐 때가 온 것이다.〉

3. 각자 깜냥껏 달아나라

동부 아프리카의 어느 곳.

지금으로부터 3백70만 년 전.

젖가슴처럼 둥그스름하고 봉긋한 두 언덕 사이에 그가 갑자기 나타났다.

그는 숨을 헐떡이며 달음박질을 치고 있다. 아우의 거친 숨결이 아주 가까이에서 느껴진다.

아슬아슬한 순간이다.

그와 아우는 한 무리의 하이에나에게 다가갔었다. 그들은 괴성을 지르고 위협적인 몸짓을 해서 하이에나들을 자극했다. 그러자 하이에나들이 즉시 그들을 뒤쫓기 시작한 거였다. 하이에나를 잡을 때는 보통 그런 식으로 함정을 놓는다. 그들의 임무는 하이에나 한 마리를 꾀어내어 커다란 나무 쪽으로 따라오게 하는 것이다. 거기에 가면 그들 무리의 다른 식구들이 나지막한 나뭇가지 사이에 몸을 감추고 있다가 일제히 뛰어내리며 하이에나를 덮치도록 되어 있다. 그들이 수가 많기 때문에 하이에나 한 마리쯤은 어렵지 않게 잡을 수 있다.

그러나 오늘은 몇 가지 문제가 있다. 첫번째 문제는 그들을 쫓아서 달려오는 하이에나가 한 마리가 아니라 세 마리라는 것이다. 게다가 세 마리 다 덩치가 아주 큰 놈들이다. 두 번째 문제는 겁을 집어먹고 미친 듯이 달리던 서슬에 그들이 그만 목표 지점을 놓치고 말았다는 것이다. 그들은 이제 완전히 방향을 잃고 있다.

우리 식구들이 숨어 있는 그 큰 나무가 대체 어디에 있는 거지?

그들은 그렇게 자문하며 질주를 계속한다. 그들 앞에 흙탕물이 고인 커다란 웅덩이가 펼쳐져 있다. 마침 잘됐다. 진창에 들어가면 하이에나들의 추격 속도가 느려질 것이다. 그와 아울러 네 다리로 달리는 것과 두 다리로 달리는 것을 바꾸어 가며 할 수 있지만, 하이에나들은 그런 선택을 할 수 없다.

그들은 윗몸을 일으켜 두 다리 주법(走法) 자세를 취한 다음 웅덩이로 돌진한다. 진흙이 두 다리에 조금 달라붙기는 하지만 그들의 달리는 속도에는 거의 영향을 주지 않는다. 그에 반해서 하이에나들의 네 다리는 진창에 푹푹 빠져 든다. 그들은 하이에나들이 추격을 포기하리라고 확신한다. 그러나 그건 오산이었다. 하이에나들은 진창을 힘겹게 빠져나오자 분기가 더욱 탱천하여 그들을 향해 맹렬하게 돌진해 온다.

그와 아우는 다시 달아난다.

세 하이에나 중에서 가장 빠른 놈이 그들을 바싹 따라붙는다. 역한 냄새를 풍기는 놈의 뜨거운 입김이 그의 종아리에 닿는 느낌이다. 절대로 뒤를 돌아보지 않는 것, 그것이 빨리 달리기를 겨루는 추격전의 기본 법칙이다. 어떠한 일이 있어도 뒤를 돌아보면 안 된다. 하지만 철칙보다 호기심이 더 강한 걸 어찌하랴. 그는 하이에나가 정말 자기의 종아리를 물 만큼 바싹 따라붙었는지를 알고 싶다. 그가 고개를 살짝 돌린다. 하이에나가 주둥이를 쩍 벌리고 그의 살에 날카로운 송곳니를 박아 넣으려는 찰나이다.

4. 욕조에서

깊은 상처가 그의 배꼽 아래에 나 있었다. 그 벌어진 모양이 꼭 음험하게 미소 짓는 입 같았다. 누군가 뾰족한 흉기로 아제미앙 교수의 아랫배를 찌른 거였다. 교수는 더이상 움직이지 않고 있었다.

현관문이 열렸다.

교수가 쓰러져 있는 것을 가장 먼저 발견한 사람은 그의 가정부였다. 그녀는 어릴 때 포르투갈에서 배운 동요를 휘파람으로 가볍게 휘휘대면서 청소를 시작했다가 이내 욕조에서 뻣뻣하게 굳은 교수의 시체를 보았다. 그녀의 입에서 즉시 새된 비명이 터져 나왔다. 그녀는 재빨리 성호를 긋고 남편을 찾으러 달려나갔다. 그녀의 남편은 1층에서 경비를 서고 있었다. 남편이 올라왔다. 그는 어떤 포르투갈 성인(聖人)들의 성적(性的)으로 불우했던 순간들을 상기시키는 욕설들을 한바탕 늘어놓은 다음 경찰에 전화를 걸었다.

이웃 사람 몇몇이 층계참에 모여들었다. 그들은 가정부 내외의 소란에 호기심을 느끼고 나왔지만 안으로 들어가 볼 엄두를 못 내고 조신하게 제자리를 지켰다. 그들의 뒤를 이어 경찰관 세 명이 와서 본격적으로 현장을 통제하기 시작했다. 그런 다음 젊은 사복 형사가 세상일이 다 귀찮기만 하다는 듯한 표정을 지으며 나타났다. 다음에 온 것은 통신사 기자였다. 자기 자동차의 무선 전신기로 경찰의 무선 통화를 엿듣고 온 거였다. 다음은 두 일간지 기자들의 차례였다. 그들은 간밤에 마감 시간을 넘겨 가며 늦게 기사를 넘긴 탓에 아직도 정신이 혼미한 채로 나타났다. 다음 차례는 먼저 온 이웃 사람들에게 〈무슨 일 났어요?〉하고 물으면서 모여든 구경꾼들에게 돌아갔다. 그 다음은 어떤 주간지의 여기자 차례였다. 그녀는 공교롭게도 그 위층에 살고 있었는데, 조용히 계단을 내려오다가 그 소동에 마음이 끌린 거였다. 그녀가 기자 신분증을 내밀자 현장의 출입을 통제하던 경찰관은 그녀를 들여보내 주었다. 그 다음에 온 것은 파리 떼였고, 썩은 고기를 먹고 사는 작은 벌레들이 마지막으로 왔다. 그 작은 벌레들은 비록 집 안에 있다가 온 것이지만 저희 깜냥에는 가장 먼 거리를 달려오느라고 맨 꼴찌로 시체에 다가온 거였다.

젊은 형사는 범죄 현장을 이리저리 돌아다니며 주의 깊게 살펴보고 나서 그 자리에 있던 기자들에게 자기의 결론을 전달하였다. 그의 판단에 따르면, 이 범죄는 십중팔구 현장 부근에서 배회하고 있던 어떤 연쇄 살인범이 저지른 것이었다. 그 구역에서 이미 동일인의 소행으로 보이는 범죄가 여러 차례 있었다. 어느 경우나 정황은 비슷하였다. 살인자는 조심성 없는 주민이 빠끔하게 열어 놓은 문을 찾아 아파트 건물의 복도를 배회한다. 그러다가 그런 문이 눈에 띄면, 다짜고짜 아파트 안으로 들어가서 손에 닿는 대로 아무거나 흉기가 될 만한 물건을 잡고 주민을 때리거나 찔러서 죽인다.

「이 달 들어서 이런 사건이 벌써 다섯 번째입니다. 범죄 수법이 여러 가지 점에서 완전히 동일합니다. 범인의 자취도 없고 침입한 흔적도 없습니다. 범인은 문을 부수거나 자물쇠를 억지로 열고 들어오지 않았습니다. 또 살인자는 미리 준비된 흉기를 사용하지 않고 범죄 현장에서 대용물을 구했습니다. 이번 사건의 경우에는 서재에 여기저기 놓여 있던 고대 생물학 탐사용 피켈 중의 하나를 사용했습니다. 범인은 흉기로 사용한 그 피켈을 가져가서 어딘가에 있는 쓰레기통에 버렸을 것입니다. 쓰레기차가 아직 다녀가지 않았다면, 인근의 쓰레기통들을 뒤져서 그 물건을 찾아낼 수도 있을 겁니다.」

수사는 이렇게 시작되자마자 종결되었다. 젊은 형사는 시민들이 문단속에 늘 신경을 쓰도록 주의를 촉구하는 말을 기사 속에 꼭 넣어 달라고 기자들에게 당부하였다. 특히 대도시의 주민들은 아무도 믿지 말고 모두를 경계하는 게 상책이라는 점을 강조해 달라는 부탁도 잊지 않았다.

기자들은 공익 광고 같은 그 권고를 군이 받아 적으려고 하지 않았다. 형사의 말이 끝나기도 전에, 그들은 사진기를 들이대면서 가장 좋은 현장 사진을 찍으려고 경쟁을 벌였다.

형사는 주간지의 여기자를 멀리서 관찰했다. 그녀는 범죄 현장의 시르죽은 분위기에 요정이 나타난 것처럼 밝은 느낌을 주고 있었다. 조금 곱슬하게 잔물결을 이룬 적갈색 머리, 그 머리채를 묶은 검은 벨벳 리본, 에메랄드빛 같은 밝은 초록색 눈, 중국풍의 민소매 셔츠, 살짝 드러난 가녀린 어깨, 차이나 칼라에 감추어진 목, 새앙쥐처럼 사분사분한 걸음걸이…… 그녀가 형사의 끈적끈적한 눈길을 맞받자, 그가 다짜고짜 물었다.

「어디에서 나오셨어요?」

그녀가 미처 대답할 새도 없이 그가 다시 물었다.

「성함이 어떻게 되시지요?」

「뤼크레스 넴로드예요. 『르 게퇴르 모데른』[2]에서 나왔어요. 설마 나를 꼬시겠다는 생각을 하고 계신 건 아니지

25

요? 나는 일과 놀이를 뒤섞는 멍청이는 아니에요.」

그녀는 껌을 계속 씹으면서 그렇게 퉁을 놓았다.

젊은 형사는 얼굴이 벌게져서 현관에서 출입을 통제하고 있는 경찰관들에게로 갔다. 그러더니, 층계참에서 얼쩡거리고 있는 이웃 사람들을 아직도 해산시키지 못하고 뭐 했냐면서 경관들에게 욕을 바가지로 퍼부었다.

여기자는 형사의 물음에 일부러 쌀쌀맞게 대꾸함으로써, 자기의 목적을 달성하였다. 형사가 자리를 뜬 사이에 서재에서 피해자의 서류를 느긋하게 살펴볼 수 있었던 것이다. 〈이력 증빙 서류〉라고 적힌 서류철 하나가 눈에 띄었다. 그녀는 그 서류철을 펼쳤다. 아제미앙 교수는 사계의 최고 권위자였음이 분명했다. 그는 프랑스의 대학뿐만 아니라 영국과 미국의 대학에서도 고생물학과 관련된 학위를 여러 개 받은 바 있었다.

다음으로 그녀는 〈언론 기사 모음〉이라고 적힌 서류철을 뒤적이다가 최근에 스크랩해 놓은 기사 하나를 보게 되었다. 그 기사에서 아제미앙 교수는 탄자니아의 올도웨이[3] 계곡에서 곧 발굴 작업을 벌일 거라면서, 인류 진화의 〈빠진 고리〉가 무엇인지 그 참다운 실체를 밝힐 준비가 되어 있노라고 장담하고 있었다.

---

2) 〈새로운 관찰자〉라는 뜻. 작가가 한때 과학부 기자로 일한 바 있는 프랑스의 유력한 주간지 『르 누벨 옵세르바퇴르』(새로운 관찰자)를 패러디한 것임.

벽 가까이에는 철사줄로 T자형 받침대에 매어 달아 놓은 원숭이들의 해골이 있었다. 그 오른쪽의 진열창 안에는 노랗게 니스 칠이 되어 있고 정성스럽게 라벨을 붙여 놓은 수백 점의 화석이 들어 있었다. 왼쪽으로는 얼굴을 다소간 찡그리고 있는 침팬지들을 그린 그림과 발굴 작업을 할 때 사용하는 도구들, 곧 곡괭이, 삽, 솔, 긁개, 붓, 돋보기, 갖가지 크기의 피켈 등이 보였다.

그녀는 서재를 나와 욕실로 건너갔다. 욕조 안에서 앉은 자세를 취하고 있는 아제미앙 교수의 시체는 기자들이 터뜨리는 카메라 플래시의 빛을 받아 마치 자두즙에 담가 놓은 밀랍 인형처럼 보였다. 시체는 이제 굳을 대로 굳어 있었다. 입을 벌리고 눈썹을 치켜 올린 채 교수는 부릅뜬 눈으로 어딘가를 응시하는 듯한 모습이었다.

그런데 시체의 자세에 어딘가 모르게 이상한 구석이 있었다. 왼손은 목욕물에 담가 놓은 채로 있는데, 오른손은 욕조 가장자리에 올려져 있고 그 집게손가락이 거울 쪽으로 꼬부라져 있었다. 마치 교수가 죽기 직전에 거울에 비친 어떤 사물이나 사람을 가리키고 싶어 하기라도 한 듯했다.

---

3) 탄자니아 북부, 세렝게티 평원에 위치한, 길이 48킬로미터, 높이 90미터의 가파른 협곡으로 고고학적으로 매우 중요한 곳이다. 2백10만 년 전부터 1만 5천 년 전까지에 걸쳐 형성된 여러 층의 퇴적층에서는 오스트랄로피테쿠스, 호모 에렉투스, 호모 하빌리스, 호모 사피엔스 등, 50개가 넘는 원인의 화석과 석기 시대의 유적이 발굴되었다.

5. 뱃속 가득히 엄습해 오는 두려움

미친 듯이 성이 난 짐승이 그의 뒤를 쫓고 있다.

하이에나의 쩍 벌린 주둥이가 아슬아슬하게 그를 비껴 간다.

파국에 이를 수밖에 없는 상황에서 벗어나려면 진로를 바꾸어야 한다.

그런 생각이 그의 뇌리를 자꾸자꾸 스친다.

파국에 이를 수밖에 없는 상황에서 벗어나려면 진로를 바꾸어야 한다.

그 말을 몇 번이고 곱씹은 끝에, 그는 마침내 그 뜻을 깨닫고 갑자기 오른쪽으로 홱 돈다.

그의 아우도 얼른 그를 따라 방향을 튼다. 뒤를 쫓는 자들은 계속 따라가고 싶으면 그들 역시 진로를 바꾸어야 한다.

하지만 그 돌연한 방향 선회는 별로 효과가 없다. 하이에나 세 마리는 여전히 그들을 뒤쫓고 있다. 하이에나들을 상대할 때의 문제점은 놈들이 절대로 호락호락 포기하지 않는다는 것이다. 하이에나들은 아주 멀리까지, 때로는 여러 날이 걸리도록 사냥감을 추격하는 근성을 지니고 있다.

그는 안간힘을 다하여 보폭을 넓힌다. 그의 아우는 너무 지쳐 있다. 아우의 숨소리가 점점 더 거칠게 들린다. 안타까운 일이다. 길고 날카로운 송곳니를 타고나지 못했을 바에는 폐활량이라도 크고 다리라도 튼튼해야 하는데.

아우는 그들의 목표물이었던 커다란 나무를 다시 찾아 보려고 전방을 열심히 살핀다. 그러나 시야에 들어오는 나무는 한 그루도 없다. 기온이 올라가고 가뭄이 심해지면서 나무들이 시들고 코끼리처럼 덩치 큰 초식 동물들이 남아 있는 나무들을 다 꺾어 버린다. 그 결과, 나무가 없어진 지역이 갈수록 확대되고 있다. 풀만 웃자란 스텝, 아카시아 나무와 바오밥나무가 점점이 박힌 사바나 지역은 점점 늘어나는데, 나무가 우거진 숲은 갈수록 줄어든다. 그럼으로써 그와 그의 식구들은 모든 육식 동물이 노리는 쉬운 사냥감이 되어 버렸다.

하이에나들이 더욱 속력을 내어 쫓아오고 있다. 그 중의 한 놈이 아우의 종아리 쪽으로 잽싸게 앞다리를 들이민다. 아우는 그것에 걸려서 재주를 넘듯이 빙그르르 돌아 땅바닥에 나동그라진다. 두 다리 주법의 문제는 다리가 무엇에 걸리기만 하면 쉽게 쓰러져 버린다는 데에 있다. 하이에나 두 마리가 벌써 아우를 덮쳤다. 한 놈은 그가 더 이상 꼼짝하지 못하도록 얼굴을 꽉 물고 있고, 다른 놈은 그의 배에 송곳니를 박고 있다.

아우의 삶은 그렇게 끝이 났다. 그러나 그의 죽음을 애도할 겨를이 없다.

가장 덩치가 큰 세 번째 하이에나가 그를 계속 쫓아오고 있다. 그는 하이에나를 지치게 할 양으로 지그재그로 달아난다. 그러나 소용이 없다. 그는 이제 알고 있다. 자기 식구들이 있는 곳으로 돌아가기가 쉽지 않으리라는 것을.

자기가 죽음을 면하기 어렵게 되었다는 것을.

대체 식구들은 어디에 숨어 있는 것일까?

6. 사회부 회의

〈르 게퇴르 모데른〉 사의 2층에 있는 작은 회의실. 사회부의 정례 회의가 시작될 참이었다. 뤼크레스 넴로드가 그 모임에 참석하는 것은 이번이 처음이었다. 사회부원으로 과학부장을 겸하고 있는 프랑크 고티에가 자기 옆에 와서 앉으라고 그녀에게 권했다.

심부름꾼 한 사람이 그 다음날 가판대에 나갈 최신호 주간지를 한 꾸러미 가져왔다. 기자들은 저마다 한 부씩 집어 들고 자기들의 기사가 마지막 순간에 잘리지는 않았는지 혹은 자기들의 이름이 빠지지나 않았는지를 확인하였다.

차갑고 육중한 대리석 탁자 건너편에 커다란 책상이 하나 있고, 사회부장 크리스티안 테나르디에가 그 책상을 마주하고 앉아 있었다. 그녀는 모두에게 어서들 오라고 인사를 건네고는 자기가 오후 1시에 중요한 점심 약속이 있으니 회의를 빨리 진행하는 게 좋겠다고 알렸다. 여느 때처럼 그녀는 시계 바늘 방향으로 돌아가면서 각자 다음 호를 위한 자기 기사의 주제를 제안하는 방식으로 회의를 진행하자고 말했다.

사회학적인 분석에 능하고 익살스러운 기사를 즐겨 쓰는 기자 막심 보지라르가 맨 먼저 발언권을 얻었다. 그는 사라져 가는 직업인 내장 장수들에 관한 기사를 쓸 생각이었다. 그의 설명에 따르면, 최근에 광우병에 작용하는 프리온과 관련해서 새로운 사실들이 밝혀지고 대중의 불안 심리가 터무니없이 부풀려지면서, 소비자들은 곱창이나 간, 콩팥, 골, 뼛골 따위를 갈수록 꺼리는 상황이었다. 그 결과, 캉[4] 식의 내장 요리나 풍접초 꽃봉오리 소스를 친 골 요리, 마디라 소스를 친 콩팥 요리 같은 전통적인 진미가 레스토랑의 메뉴판에서 자취를 감추어 가고 있었다.

사회부장은 내장 요리의 명예를 회복시키는 것은 고상한 싸움이라면서, 그 주제를 다루는 것에 흔쾌히 동의하였다.

다음은 범죄 사건을 전문으로 다루는 기자 플로랑 펠그리니의 차례였다. 그는 어떤 노파의 죽음에 관해서 조사하고 싶어 했다. 그 할머니는 파리의 아파트에서 오랫동안 칩거하다가 자기 고양이들에게 물려 죽었다고 했다.

「한 편의 훌륭한 추리 소설을 읽는 듯한 기사가 되겠는걸.」

부장은 동의를 표하면서, 그 사건을 조금은 익살스럽게 다루라고 조건을 달았다.

환경 문제 전문가인 클로틸드 플랑카오에트는 체르노빌의 원자로가 여전히 문제가 되고 있음을 강조하였다. 비

---

4) Caen. 프랑스 노르망디 지방에 위치한 도시.

록 사람들이 그것에 대해서 더 이상 이야기를 하고 있지 않지만, 그 원자로는 계속해서 조금씩 내려앉고 있기 때문에 그 일대의 식수를 완전히 오염시킬 염려가 있다는 얘기였다.

부장은 시큰둥한 표정을 지으며 이미 시대에 뒤떨어진 주제라고 토를 달았다.

그러자 클로틸드 플랑카오에트는 캘리포니아 앞바다에서 대량으로 자살하는 고래들에 관한 기사를 제안했다.

「고래는 초저주파음의 신호를 발하여 저희끼리 의사 소통을 합니다. 그 신호는 아주 멀리까지 퍼져 나갑니다. 그런데, 배의 엔진 소리가 고래들이 주고받는 신호에 잡음을 넣습니다. 그래서 고래들은 더 이상 서로에게 신호를 보낼 수 없게 되고, 의사 소통을 못 하는 그런 상황을 견디지 못해 스스로 목숨을 끊는 것이지요.」

부장이 그만 하라는 손짓을 보냈다.

「전혀 관심을 끌 수 있는 주제가 아니야. 클로틸드, 이 한심한 친구야. 상상력이 그것밖에 안 돼? 그렇게 진부한 주제나 앵글로색슨 언론의 재탕을 들이밀 생각밖에 못 하겠거든, 굳이 회의에 나오지 않아도 될 거야.」

클로틸드 플랑카오에트는 창백해진 얼굴로 자리에서 일어나 문 쪽으로 달려갔다. 그녀가 우는 모습을 보이면 부장은 오히려 즐거워할 거였다. 그녀는 그런 즐거움을 부장에게 주고 싶지 않았다. 부장은 경멸의 뜻으로 어깨를 한번 치켜올렸다 내리고는 시가 한 대를 빼어 물고 불을 붙였다.

「클로틸드는 너무 여려서 탈이야. 이 일을 하자면 배짱이 두둑해야 하는데 말이지.」

플로랑 펠그리니가 환경 문제에 관심이 많은 그 풋내기 여기자를 위로하기 위해 문 쪽으로 갈 기색을 보이자, 부장이 그를 말렸다.

「그냥 내버려 둬. 자존심이 상해서 불끈한 것뿐이니까. 성난 게 풀리면 돌아오겠지. 어쨌거나 그녀에겐 달리 선택의 여지가 없어. 다음 사람으로 넘어가지.」

기슬랭 베르주롱은 고등학교에 만연된 공포 분위기를 주제로 들고 나왔다. 학생들이 잭나이프나 불법 거래된 권총을 소지하고 등교하는 일이 갈수록 빈번해지면서 많은 교사들이 학생들의 폭력에 언제 당할지 몰라 전전긍긍하고 있었다.

「선생님들은 점수를 조금이라도 나쁘게 주었다가는 자기들 자동차의 타이어에 구멍이 나는 꼴을 보거나 심지어는 생명에 위험을 느끼는 상황까지 각오해야 하는 판입니다. 학생들의 폭력에 두려움을 느끼는 교사들이 하도 많다 보니까 교육부에서는 신경 쇠약에 걸린 교사들을 위한 아홉 번째 휴양원을 최근에 개설한 바 있습니다.」

「훌륭한 주제야. 특히 우리 주간지의 정기 구독자 중에서 교사들이 차지하는 비중이 크다는 점을 감안하면, 더더욱 좋은 주제라고 볼 수 있지.」

다방면에 걸쳐 많은 주제를 소화해 내는 전천후 기자

케빈 아비트볼은 자기 차례가 오자 가장 부유한 프랑스 인 1백 명에 대한 조사를 제안했다.

그 주제는 이미 한 달 전에 다룬 바 있었다. 그러나 사람들은 자기들이 시새워야 할 사람이 누구인지를 무척 알고 싶어 한다. 따라서 그 주제를 다루는 것은 언제나 주간지의 순조로운 판매를 보장한다는 것이 그의 주장이었다.

그 즈음에 빈번하게 다뤄도 매번 잘 먹혀들던 주제로는 다음과 같은 것들이 있었다. 〈신세대 독신자들〉, 〈비밀 결사 프리메이슨〉, 〈부동산의 위기〉, 〈가장 부유한 프랑스 인 1백 명〉, 〈날씬한 몸매를 가꾸어 주는 신종 다이어트〉, 〈하느님과 과학〉, 〈현대인이 가장 많이 앓는 질병〉, 〈프랑스 인들의 성생활〉 등.

판매 부수가 준다는 푸념이 들릴 때마다, 사회부에서는 그런 확실한 주제들의 힘을 빌리곤 했다. 그런데 마침 그 무렵이 독자들의 반응이 냉담해지고 있던 때였다. 공식적으로는 모두들 텔레비전이 활자 매체의 독자를 빼앗아 가고 있다는 점을 문제 삼고 있었지만, 비공식적으로는 경쟁 관계에 있는 다른 잡지들이 얼마 전부터 더욱 솔깃한 제목들을 내세우고 있다고 불평하는 분위기가 지배적이었다. 경쟁 잡지들은 이를테면, 〈독신자 프리메이슨〉이라든가 〈하느님과 프랑스 인들의 성생활〉 하는 식의 제목을 뽑고 있는 판국이었다. 따라서 강력한 무기를 꺼내는 데에 더 이상 망설일 까닭이 없었다. 〈가장 부유한 프랑스 인 1백 명〉, 전혀 손해볼 게 없는 주제였다.

사회부장은 만족해 하면서 다음 차례인 프랑크 고티에 쪽으로 고개를 돌렸다. 그가 주제로 제안한 것은 〈동성애는 유전되는가?〉였다. 그는 미국의 한 연구소가 동성애에 관한 진지하고 과학적인 연구를 진행한 끝에 그것의 유전적인 원인을 강조하는 쪽으로 결론을 내리고 있다고 설명했다. 〈과학적이다〉, 〈진지하다〉, 〈미국의 한 연구소〉, 그 세 가지를 내세우면 어느 주제로 기사를 쓰든 독자들에게 신뢰감을 줄 가능성이 많았다.

그런데 플로랑 펠그리니가 손을 들었다.

「음……. 동성애가 유전된다고? 그건 좀 말이 안 되는 것 같은데. 과학자들이 어떤 식으로 주장하고 있는지는 모르지만, 그냥 상식적으로 생각해서, 동성 연애자들이 아이를 낳을 순 없는 거 아니야? 2세가 없는데 유전될 게 뭐 있지?」

스무 명 가량 모여 있는 좌중에 소리를 죽인 웃음이 가볍게 일었다. 부장은 그 웃음소리에 비위가 상한 듯 목청을 조금 높여서 잘라 말했다.

「훌륭한 주제야. 우리 독자들 중에는 동성 연애자들이 많아. 그들은 이런 종류의 기사가 나오면 꼭 읽어 보려고 할 거야. 단지 사실 여부를 알고 싶어서라도 말이지.」

그 주제를 제안한 프랑크 고티에는 흐뭇한 기분을 느끼며 내친김에 자기가 데려온 수습 기자를 소개하기로 했다.

「뤼크레스 넴로드 양을 소개합니다. 노르[5]의 한 일간지에서 수습을 마치고, 그쪽 편집국장의 열성적인 천거를 받아 우리와 함께 일하게 되었습니다.」

사회부장 크리스티안 테나르디에는 새내기 기자를 위아래로 톺아보다가, 사과처럼 불거진 젖가슴 위에서 눈길을 멈추었다. 조금 곱슬하게 잔물결을 이룬 적갈색 머리채에도 그녀의 시선이 오래 머물렀다. 부장의 머리는 옅은 블론드로 탈색된 단발이었다. 젊은 여자에 대한 나이 든 여인의 경쟁 심리가 즉시 발동하였다. 나이 든 여인은 갖가지 후각 정보를 통해서 대번에 그 젊은 여자가 강력한 경쟁자임을 알아차렸다. 부장은 좋은 냄새를 풍기기 위해 일부러 자기 몸과 옷에 비싼 향수를 듬뿍 뿌려야 하는 처지인데, 뤼크레스 넴로드는 신선한 호르몬 냄새를 향그럽게 발산하고 있었다. 게다가 뤼크레스 넴로드에게는 자연스러운 아름다움이 있었다. 그리고 무엇보다, 감히 자기의 영역에 들어와서 자기를 비웃는 듯한 그 건방진 눈길이 비위에 거슬렸다.

부장은 자기 마음을 들키지 않으려고 자제력을 발휘하였다. 펠그리니 기자의 어떤 기사에서 읽은 이야기가 생각났다. 교도소의 여자 감방에 너무 예쁜 신참이 들어오면, 고참 죄수들이 각설탕의 뾰족한 모서리로 신참의 얼굴에 상처를 낸다고 했다. 각설탕을 사용하는 이유는 그것으로 상처를 내면 아문 뒤에 흉터가 남기 때문이라는 거였다.

「아닌 게 아니라 지방 일간지는 훌륭한 학교라고 할 수

---

5) 프랑스 북부의 노르 파 드 칼레 지방에 있는 도(道)의 하나.

있지.」

부장은 거드름을 피우며 신참의 경력을 인정해 주고 나서 물었다.

「그런데 제안할 주제가 뭐지?」

뤼크레스 넴로드가 일어섰다.

「오늘 아침에 집에서 나오다가 바로 아래층에 있는 아파트 앞에 사람들이 모여 있는 것을 보았습니다. 살인 사건이었지요. 경찰이 벌써 현장에 와 있었습니다. 그 집 주인이 목욕을 하다가 피켈에 배를 찔려 살해되었습니다.」

부장은 꺼져 가는 시가에 다시 불을 붙이고, 이쪽 저쪽으로 잇달아 연기를 내뿜었다. 마치 자기가 주위의 공기를 오염시켜 모든 사람들의 허파에 해를 입혀도 그것에 항의할 자가 아무도 없을 만큼 자기에게 막강한 힘이 있다는 것을 일깨워 주려고 그러는 것 같았다.

「살인 사건이라면 그건 플로랑 펠그리니의 소관이군.」

「피살자는 잘 알려진 사람입니다. 피에르 아제미앙이라는 학자인데, 고생물학 분야에서는 세계에서 가장 뛰어난 전문가 중의 한 사람이었습니다. 그는 〈빠진 고리〉의 발견을 자기 연구의 목표로 삼고 있었습니다.」

「무엇의 발견이라고?」

「〈빠진 고리〉요. 인류의 원초적인 신비 말입니다. 어느 날, 원숭이가 사람으로 변했습니다. 그러나 일거에 그렇게 된 것은 아니고 중간 단계가 있었습니다. 과학자들은 습관적으로 그 중간적인 존재를 〈빠진 고리〉라는 이름으로 불렀습니다. 아제미앙 교수는 그 〈빠진 고리〉를 찾는 데에 평생을 바쳤습니다. 제가 보기에 이 살인 사건은 경찰이 생각하는 것처럼 한 부랑자의 소행이 아닙니다. 아제미앙 교수가 어떤 비밀을 발견하여 세상에 알릴 준비를 하고 있었기 때문에, 그것을 두려워한 어떤 자가 교수를 죽였을 것으로 저는 확신하고 있습니다. 누군가 교수의 입을 막고 싶어 하는 자가 있었을 겁니다. 그래서 저는 인류의 기원에 관한 최근의 과학적인 발견과 아제미앙 교수의 죽음을 상세하게 다루는 기사를 제안하고 싶습니다. 일종의 고생물학적 추리물이라 할 수 있겠습니다.」

부장은 바로 대답하지 않고 뜸을 들었다. 그녀는 책상 위에 있던 시가 절단기를 잡더니 너무 씹어서 너덜너덜해진 시가의 끝 부분을 자르고, 신참 기자를 다시 뚫어지게 바라보았다. 아무리 보아도 너무 예쁘다는 생각이 들었다.

「안 돼.」

「네? 안 돼요?」

「안 돼. 재미없는 주제야.」

「왜 재미가 없다고 하시지요?」

「우리 일에 대해서 좀 순진한 생각을 갖고 있는 것 같군. 아마 나이 탓이거나 지방에서만 일을 해보았기 때문에 그럴 거야. 주간지에서는 그 과학자의 죽음 같은 최신 뉴스를 다룰 수가 없어. 일간지에서 다 떠들고 난 뒤에 뒷북을 치기가 십상이지. 오늘 신문에 벌써 이 사건이 크게 보도되었을 거야. 그렇지 않아?」

프랑크 고티에는 아닌 게 아니라 아제미앙 교수의 사망 기사를 이미 여러 신문에서 읽었노라며 부장을 거들었다.

부장은 거만스럽게 쐐기를 박았다.

「어쨌거나 그 아제미앙 교수라는 사람은 별로 미디어에 적합한 인물이 아니야. 배우나 가수, 톱 모델, 그런 사람들만이 대중의 관심을 끌 수 있어. 한 과학자의 죽음, 그건 그저 일상적인 사건·사고 기사일 뿐이라고.」

뤼크레스 넴로드는 상사의 갈색 눈을 응시하며 목소리에 힘을 주었다.

「바로 그 점 때문에 저는 이 주제를 인류의 기원에 관한 연구에 초점을 맞춘 특집 기사로 확대하자고 제안하는 겁니다. 인류의 기원에 관한 문제는 우리 모두가 스스로에게 제기하는 세 가지 중요한 질문 중의 하나입니다. 우리는 누구인가? 우리는 어디로 가는가? 그리고…… 우리는 어디에서 왔는가? 이 세 가지 중에서 마지막에 해당하는 것이지요.」

부장은 같잖은 풋내기가 겁 없이 나서는 꼴을 보고 적이 만족했다. 이제 물소 가죽으로 된 안락의자에 느긋하게 몸을 묻고 앉아서 풋내기의 급소에 마지막 일격을 가하는 일만 남아 있었다.

「이 봐, 건방 좀 그만 떨어. 고집깨나 있다는 사람들도 다 내 앞에선 꼼짝을 못했어. 그 잘난 세 가지 질문보다는 차라리 〈어떻게 하면 우리 부장 마음에 드는 주제를 찾아낼 수 있을까?〉라는 한 가지 문제를 가지고 고심하는 게 나을 거야.」

좌중에 한소끔 웃음이 일었다. 두 사람 사이에 긴장이 고조되고 있음을 느끼고 있던 다른 사람들은 그렇게 웃음을 터뜨림으로써 기성의 질서에 전폭적인 지지를 보내고 있는 거였다.

막심 보지라르가 신참 기자에게 속삭였다.

「됐어, 그만 해. 너무 세게 나가지 말라고.」

「하지만……」

뤼크레스는 부장을 다시 설득해 보려고 했다.

프랑크 고티에는 뤼크레스가 입을 다물게 하려고 자기의 구두 뒷굽으로 그녀의 발가락을 있는 힘껏 짓눌렀다. 뤼크레스는 감전이라도 당한 사람처럼 입만 헤 벌린 채 더이상 말을 잇지 못했다.

부장은 그 토론을 종결하기 위해 소리쳤다.

「다음 제안!」

사회부 기자들은 회의가 끝나면 으레 바로 아래층에 있는 알자스 맥주 집에 다시 모여 술잔을 기울이곤 했다. 그날도 예외는 아니었다. 그들은 각자 맥주를 주문하여 다들 조금씩 취기가 오를 때까지 잇달아 몇 잔을 마셨다. 그런 다음, 그들은 뤼크레스 넴로드 주위로 모여들었다. 그녀 역시 그들 못지않게 마신 뒤였다.

프랑크 고티에가 말문을 열었다.

「조심해, 뤼크레스. 부장한테 그런 식으로 대답하는 건

네가 잘못하는 거야. 테나르디에는 결코 녹록한 여자가 아니야. 그 여자한테 찍히면 고생문이 훤해.」

「그 여자는 자기가 무섭게 보이지 않으면 더 이상 존경받지 못한다고 생각하지. 작년에는 어떤 여기자를 회의 때마다 끈질기게 모욕을 주어서 사표 쓰고 나가게 만든 적도 있어.」

케빈 아비트볼이 그렇게 동을 달자, 막심 보지라르가 거드름을 피우며 말했다.

「그래, 그런 잔인한 면이 있는 여자야. 뚜렷한 동기가 없는 잔혹성, 그건 진짜 우두머리들만이 누리는 특권이지.」

막심 보지라르는 풍자적인 기사들을 자주 써서 인간의 온갖 비열한 행태를 조롱해 온 기자였다. 그런 사람이 역설적으로 기성의 위계 질서와는 누구보다 잘 타협하는 모습을 보이는 거였다.

「우두머리들은 바로 그런 면이 있어서 존경을 받는 거지.」

기슬랭 베르주롱이 말했다. 그는 보지라르가 차지한 〈부장의 심복〉 자리를 노리고 있는 사람이었다.

묵묵히 듣고 있던 뤼크레스가 침울하게 말했다.

「그렇다면 제가 이 잡지사를 떠나는 편이 낫겠군요.」

프랑크 고티에가 대답했다.

「무슨 소리야? 그런 고집스런 태도만 조금 버리면, 모든 게 잘될 거야. 자네가 제안한 주제가 무엇이었든 간에 부장은 그것을 받아들이지 않았을 거야. 이유가 뭔지 알아? 부장은 신참들 기죽이는 걸 무척 좋아해. 신참이 여자일 때는 더 심하지. 부장은 여자들을 좋아하지 않아. 하지만, 난 부장이 어떤 사람인지 잘 알아. 그 여자, 화를 낼 때는 불같이 내지만 금방 잊어 버려. 그러니까, 그 〈빠진 고리〉 건은 일단 접어 두고 다른 주제를 찾아봐. 이를테면, 〈발바닥의 사마귀를 제거해야 하는가?〉 같은 걸로 말이야. 그런 거라면 부장도 자네가 쓰는 것을 막지 않을 거야. 사실 부장은 그런 종류의 기사를 좋아해.」

뤼크레스는 좌중을 가만히 바라보다가 다시 말문을 열었다.

「다들 한심하군요. 그 여자가 그렇게 무서우세요? 정말 선배님들을 이해할 수가 없어요. 인류의 기원에 관한 진실을 아는 데에 관심이 없으세요?」

「없어.」

기슬랭 베르주롱의 심드렁한 대꾸에 플로랑 펠그리니가 맞장구를 쳤다.

「나도 관심이 없어. 나는 과거로 거슬러 올라가는 건 딱 질색이야. 나의 아버지는 알코올 중독자였어. 술집에서 곤드레만드레가 되어 돌아올 때마다 내 따귀를 때리곤 했지. 그래서 나는 아버지의 윗대가 어떤 사람들이었는지 별로 알고 싶은 생각이 없어. 보나마나 아버지보다 더 나쁜 사람들이었을 테니까.」

뤼크레스는 손바닥으로 탁자를 치며 목청을 높였다.

「이 봐요, 선배님들! 저 지금 농담하고 있는 거 아니에요. 인류의 기원, 그건 대단히 중요한 문제예요. 우리는 어디에서 왔는가? 왜, 어떻게 인간이 이 지구상에 나타났는가? 프랑크 선배, 막심 선배, 기슬랭 선배, 왜 여러분들은 나무 위에서 열매를 따먹으며 벌거벗고 살기보다 이렇게 옷을 입고 기사를 쓰면서 살게 되었는가? 제가 보기엔 이보다 더 흥미로운 주제가 없어요. 저는 발바닥의 사마귀에는 관심이 없어요. 유전적인 동성애나 프랑스의 1백 대 부자 따위에도 관심이 없고요. 제가 보기에는 그저 고리타분하기 짝이 없는 사람들인데, 그들이 스스로를 기자라 칭하고 있으니 놀랍군요. 저는 이 직업을 가장 호기심 많고 가장 혁신적인 사람들의 몫이라고 생각했어요. 그런데, 선배님들은 알고 보니까 호기심이라곤 눈곱만큼도 없고 오로지 편집국 내의 역학 관계에만 관심이 있는 사람들이로군요.」

프랑크 고티에는 맥주를 벌컥벌컥 들이키며 세상 물정 모르고 나대는 풋내기를 혼내 주는 게 좋겠다고 생각했다.

「야 너 말이야, 선배들 알기를 너무 우습게 아는데, 그러면 안 돼. 대체 네가 뭔데 우리에 대해서 이러니저러니 떠드는 거야. 넌 그럴 자격이 없어. 넌 아무것도 아니라고. 우리 기자들의 서클에 온전한 자격으로 받아들여지고 싶으면, 먼저 자존심 죽이고 고개 숙이는 것부터 배우라고.」

뤼크레스는 그 자리를 떠날 기색을 보이며 맞받았다.

「좋아요. 알겠어요. 내 주제를 다른 주간지에 제안하러 가겠어요.」

플로랑 펠그리니가 그녀의 팔을 붙잡았다.

「이거 왜 이래. 기다려 봐. 그렇게 발끈거리지 말고. 자기가 제안한 기사거리라고 매번 그런 식으로 집착하다간, 이 일 오래 못 해. 자, 진정하라고. 자네가 그 기사를 낼 수 있도록 도울 방법이 있을지도 모르잖아?」

뤼크레스는 플로랑 펠그리니의 손을 얼른 뿌리쳤다. 팔을 잡는 것도 불쾌한데, 팔을 잡으러 오면서 그의 손이 젖가슴을 살짝 스쳤기 때문에 더 더욱 빨리 뿌리친 거였다.

「그 방법이라는 게 뭐죠?」

플로랑 펠그리니는 밑도끝도없이 어떤 사람의 이름을 댔다.

「이지도르 카첸버그.」[6]

다른 기자들은 그런 이름을 가진 사람을 찾아서 자기들의 기억을 더듬고 있는 듯했다.

「이지도르 카첸버그 생각 안 나?」

기슬랭 베르주롱이 미간에 주름을 모으며 되물었다.

「카첸버그? 〈과학부의 셜록 홈스〉라는 별명을 지녔던 그 사람 말이야?」

「그래, 바로 그 사람이야.」

막심 보지라르도 그 인물에 대한 기억을 떠올렸다.

「그 사람 기사 안 쓴 지 적어도 10년은 되었을걸. 게다

---

6) 작가는 이 이름을 애니메이션 『개미』의 제작자 제프리 카첸버그를 염두에 두고 지었다고 한다. 카첸버그가 소설 『개미』의 아이디어를 〈훔쳐 간 것〉에 웃음으로 대응하기 위해서였다.

가, 내가 들은 얘기로는 탑처럼 생긴 어떤 건물에서 은둔 생활을 하고 있다던데.」

「그럴지도 모르지. 그래도 왕년에 과학계의 사건을 명탐정처럼 잘 추적하는 것으로 이름을 날렸던 기자야. 뤼크레스가 하고 싶어 하는 게 바로 그런 거 아니야?」

「카첸버그? 그 사람 이제 한물갔어.」

프랑크 고티에가 거만하게 잘라 말했다.

플로랑 펠그리니는 맥주 한 잔을 죽 들이키고, 그 씁쓸한 뒷맛을 느끼며 진저리를 한번 치더니 뤼크레스의 어깨에 손을 얹었다. 이번에는 그의 손에서 어떤 온정 같은 것이 느껴져서 그녀는 뿌리치지 않고 가만히 있었다.

「뤼크레스가 그 사람을 만나서 미싱 링크에 대해 열의를 갖게 할 수만 있다면, 그가 뤼크레스를 도와줄 거야. 어쨌거나 한 나라에서 으뜸가는 고생물학자가 살해당하는 사건이 매일 일어나는 건 아니잖아? 카첸버그는 틀림없이 일을 맡을 거야. 그가 이 사건을 해결하겠다고 나서 주면, 아무 문제가 없어. 그의 이름에는 우리 부장도 어쩌지 못할 만큼의 무게가 실려 있거든.」

뤼크레스의 에메랄드빛 눈이 반짝였다. 그녀는 수첩을 꺼내 샤프 펜슬의 심을 밀어내며 물었다.

「그런데, 그 〈과학부의 셜록 홈스〉가 살고 있다는 탑이 무슨 탑이죠?」

7. 체념은 금물이다

바로 뒤에 있다.

하이에나가 바로 그의 뒤에 있다.

그는 놈이 끝내 포기하지 않으리라는 것을 안다.

이건 승자와 패자를 가려야 하는 게임이다.

하이에나의 보조가 빨라진다. 속보(速步)에서 질보(疾步)로, 질보에서 다시 구보(驅步)로. 그의 보조도 빨라진다. 그의 코에서 단내가 난다. 콧구멍이 전속력으로 공기를 빨아들이고 입이 허덕허덕 그것을 뱉어 낸다. 힘살이 열을 받아 뜨거워질 대로 뜨거워진다.

하이에나가 걸음을 더욱 재우친다. 이번엔 꼭 그를 잡고야 말겠다는 기세로 온몸의 에너지를 다 쓰고 있다. 그는 달릴 수 있는 힘을 더 내기 위해 자기 몸에 남아 있는 포도당을 모두 동원한다. 그러나 공포 때문에 생긴 독성물질이 포도당의 분해를 더디게 한다. 두려움은 그의 오랜 적이다. 그 적이 발끝에서 머리로 기어오르고 있다.

다른 식구들이 나타나 그를 도와주면 좋으련만 그들의 자취는 여전히 보이지 않는다. 판세는 하이에나 쪽으로 기울고 있다. 그는 완전히 공포에 휩싸인다. 바로 그 순간, 이상한 일이 벌어진다. 그 참담한 곤경의 정점에서 퍼뜩 뇌리에 떠오르는 것이 있다.

마음 안에서 어떤 문이 열리는 듯한 느낌……. 자기 자신에게서 빠져나와 밖으로부터 자기를 보고 있다는 기분.

지금 공포에 사로잡혀 있는 것이 자기가 아니라, 자기가 멀리서 바라보고 있는 어떤 남이라는 생각이 든다.

두려움이 극에 달하자 문득 그런 초연함이 생겨난 것이다. 마치 자기 몸뚱이를 더 이상 지켜 낼 수 없어서, 그것을 훌훌 벗어 던지고 곤경에서 빠져나온 느낌이다. 어떻게든 살아남으려는 악착도 이제 사라졌다. 자기의 삶은 잠깐씩 나타났다 사라지는 무수한 현상들 중의 하나일 뿐, 더 중요할 것도 없고 덜 중요할 것도 없다는 생각이 든다.

그는 하이에나에 대한 공포에서 완전히 벗어난다. 따지고 보면 그 짐승에게 적대감을 가질 이유가 전혀 없다. 놈은 그저 자기 식구들을 먹여 살리려고 애를 쓰는 것이다. 놈도 그만큼이나 지쳐 있고 기진맥진해 있다. 놈은 자기 사냥감을 놓칠까 봐 전전긍긍한다. 이 사냥에서 허탕치고 돌아가면 새끼들에게 줄 먹이가 없다. 하이에나는 그것을 두려워하고 있는 것이다.

대개 하이에나는 죽은 짐승의 썩은 고기만을 먹고 산다. 이 하이에나가 살아 있는 사냥감을 공격한다는 것은 그것만으로도 벌써 엄청난 야심을 가지고 있다는 것을 뜻한다. 그는 전에 하이에나 무리를 멀리서 관찰해 본 적이 있다. 그때 어미 하이에나가 고기를 잘게 씹어서 새끼들에게 먹이는 광경을 보았다. 식사에 몰두해 있던 그들 주위로 아주 역겨운 냄새가 풍겨 나왔다. 그 냄새에 대한 기억이 아직도 생생하다. 썩은 고기를 먹는 놈들은 그렇게 썩는 냄새를 풍기는 모양이다.

이 하이에나가 이토록 악착같이 그를 뒤쫓고 있는 것도 어쩌면 그것 때문인지 모른다. 썩지 않은 고기를 제 무리에게 가져감으로써 제 무리를 부패의 악취로부터 벗어나게 하려는 것 말이다.

거기에 생각이 미치자, 이런 달음박질에 참가하고 있는 자신이 자랑스럽게 여겨진다. 결국 그와 하이에나는 똑같은 야망을 지니고 있는 셈이다. 자기들의 종을 진화시키는 것, 자기들의 후손이 조상보다 더 잘 살게 해주는 것, 그것이 바로 그들의 깊숙한 곳에서 그들을 움직이는 욕망이다.

하이에나는 사냥을 통해 그 장한 일을 이루어 내고 싶은 것이고, 그는 하이에나를 매복 장소로 유인함으로써 그 장거를 이루려는 것이다.

자기 종을 진화시키려는 의지, 그것은 〈어떻게든 살아남아 하루라도 더 살겠다〉는 마음보다 한결 소중하다. 그는 차라리 자기를 잡아먹도록 내버려 두는 것이 더 잘 하는 일이 아닐까 하는 생각을 해본다. 포식자의 삶의 질을 개선시켜 주기 위한 사냥감의 체념. 그런 식의 행동은 이제껏 아무도 해보지 않은 새로운 것이리라. 거기에 생각이 미치자 그의 달음박질이 조금 느려진다.

자, 이제 끝내자. 어디 네가 하고 싶은 대로 해봐라. 그런 심정으로 그는 보조를 더욱 늦춘다. 그런데, 바로 그때 저기 높은 곳에서 뭔가 움직이고 있다는 느낌이 든다. 나뭇가지에 앉은 새들 같은데, 날개가 아닌 팔을 흔들고 있다. 팔이라고?

아, 그렇다면 그 큰 나무에 다다른 것이다! 그 이상한 새들은 바로 그의 식구들이다. 그들이 공격할 채비가 되어 있음을 알리느라고 그에게 손짓을 보내고 있는 것이다.

그는 다시 힘을 내어 그들 쪽으로 질주한다.

8. 저수탑의 은둔자

뤼크레스는 사이드카가 달린 구치 오토바이의 손잡이를 꽉 잡고 질주하고 있었다. 마이카 안경에 챙 없는 가죽 모자, 바람에 휘날리는 적갈색 머리. 하늘을 정복하기 위해 나섰던 최초의 여류 비행사들을 연상케 하는 모습이었다.

트럭 한 대가 아까부터 앞에서 거치적거리고 있었다. 그녀는 요란한 엔진 소리를 내며 트럭을 앞지른 다음, 가운뎃손가락을 내밀어 트럭 운전자에게 야유를 보내고 다시 속력을 냈다.

오토바이에 곁달린 사이드카에는 갖가지 잡동사니가 들어 있었다. 밧줄, 끈, 이불, 매트리스 스프링, 커튼의 고리를 끼우는 막대기, 판지 조각 따위가 있는가 하면, 오토바이가 굽은 길을 돌 때마다 덜그럭거리는 쇠붙이들도 있었다. 멀리서 보면, 그녀가 마치 집의 쓰레기나 공사장의 폐품들을 늘 운반하고 다니는 사람처럼 보였다.

오토바이의 기름통에는 마리화나 담배를 피우는 간디의 초상화가 그려져 있었다. 번호판에 씌어진 글귀도 가관이

었다. 〈지옥은 만원이었다. 그래서 나는 여기에 돌아왔다.〉

파리 외곽 순환도로에 들어서자 그녀는 더욱 속력을 내면서 하이파이 오디오 세트를 작동시켰다. 원시적이라고 해도 지나치지 않을 만큼 꾸밈없고 강렬한 음악이 터져 나왔다. 그 즈음에 다시 유행하던 예전의 하드록 그룹 AC/DC의 「천둥소리*Thunderstruck*」였다. 그녀는 입 안에 껌을 쑤셔 넣고 리듬에 맞추어 우물거렸다. 릴라 문이 나오자 그녀는 순환도로를 빠져나가 교외로 들어섰다.

마침내 이지도르 카첸버그가 살고 있다는 장소에 도착했으나, 그 주소에는 공터밖에 보이지 않았다. 뤼크레스는 음악을 멎게 하고 오토바이의 시동 스위치를 끈 다음, 주위를 찬찬히 둘러보았다. 제1차 세계 대전 때에 쓰던 고물 쌍안경까지 꺼내어 인근을 샅샅이 살폈다. 그러다가 그녀는 마침내 깨달았다. 이지도르 카첸버그가 살고 있다는 건물이 탑인 건 사실인데, 그냥 탑이 아니라 저수탑이라는 것을. 그것은 콘크리트로 지은 거대한 건물인데, 아랫부분은 위로 뾰족한 원뿔꼴로 되어 있고 윗부분은 아래로 뾰족한 원뿔꼴로 되어 있었다. 전체적인 모양은 모래시계와 약간 비슷했다.

뤼크레스는 오토바이의 뒤보기 거울을 들여다보며 입술 화장을 고쳤다. 그것은 단순한 반사적 행동이었다. 첫인상이 아름다우면 10분을 벌 수 있다는 사실을 그녀는 경험을 통해 터득한 바 있었다. 화장을 다 고치고 나자 그녀는 오토바이에서 뛰어내려 공터로 나아갔다.

그 건물을 살펴보면 살펴볼수록, 그곳을 거처로 삼는 것이 얼마나 꾀바른 생각이었는지 더 잘 이해할 수 있을 것 같았다. 저수탑은 아주 자연스럽게 풍경의 한 부분을 이루기 때문에 아무도 그 건물에 주의를 기울이지 않는다. 어쨌거나 거기에 사람이 살고 있다는 생각은 누구도 쉽게 하지 못할 거였다.

뤼크레스는 잡초와 엉겅퀴와 버려진 냉장고들 사이로 걸어갔다. 흉물스럽게 방치된 채 녹슬어 가는 차체들 속으로 쥐들이 들락거렸다.

이지도르 카첸버그는 전화를 가지고 있지 않았다. 그래서 뤼크레스는 만날 약속도 잡지 못하고 직접 그를 만나러 올 수밖에 없었던 거였다. 가까이서 보니 저수탑은 폐건물처럼 보였다. 정치적인 포스터와 인터넷 동호회를 위한 광고지들이 둥근 벽에 더덕더덕 붙어 있었다. 마치 알록달록한 요를 둘러 놓은 것처럼 두껍게 층을 이룬 그 종이들은 일정한 높이에서 끝나 있었다. 그 높이는 아마도 동료의 어깨 위에 올라가 종이를 붙인 사람들의 손이 가장 멀리 미치는 지점일 것이다. 스프레이로 휘갈겨 놓은 낙서들도 보였다. 이곳이 자기들의 영역임을 분명히 하려는 청소년 갱들의 의지가 담긴 낙서였다.

뤼크레스는 건물의 주위를 돌다가 녹슨 철문을 하나 찾아냈다. 그 문 역시 두껍게 켜를 이룬 포스터들로 덮여 있었다. 문에는 이름도 적혀 있지 않았고, 문 두드리는 쇠건 초인종이건 사람이 살고 있음을 짐작케 하는 것은 아무것도 없었다.

뤼크레스는 철문을 두드렸다. 아무 대답이 없었다.

이 일을 어찌한다?

그녀는 잠시 망설였다. 그러다가 브래지어의 두 컵 사이에서 다용도 접칼을 꺼낸 다음 접혀 있는 여러 칼날과 기구 중에서 곁쇠로 쓸 만한 것을 골라냈다. 그녀는 분명히 알고 싶었다. 정말 그 건물 안에 누군가 은둔하는 사람이 있는 건지, 아니면 동료들이 그녀를 속인 것인지.

자물쇠는 견고했다. 한참을 씨름하고 나서야 자물쇠청이 말을 들었다.

「아무도 안 계세요?」

그녀는 더 이상 예의를 차리지 않고 안으로 들어갔다. 들어가 보니 원뿔꼴의 거대한 방 안이었다. 마치 인디언의 티피를 철근 콘크리트로 지어 놓은 듯했다. 그녀는 앞으로 나아갔다. 〈어쩌면 아제미앙 교수는 정말로 연쇄 살인범에게 살해당한 것일지도 몰라. 나처럼 이렇게 불법 침입한 살인범에게 말이야〉 하고 그녀는 생각했다. 정말 그렇다면, 그 젊은 형사가 제대로 본 거였다.

그녀가 조심스럽게 발걸음을 옮기면서 다시 물었다.

「아무도 안 계세요?」

뭔가 그녀의 발길에 차이는 것이 있었다. 그녀는 하마터면 비틀거리다 넘어질 뻔했다. 바닥에 크고 작은 책들이 잔뜩 흩어져 있었다. 천장에서 아래로 길게 늘어뜨린 전등들은 어둠 속 여기저기에 노란 직사광의 원을 뚜렷하게 그려 놓았다.

뤼크레스는 책들 사이로 조심조심 걸었다. 사전류와 평론서들이 있는가 하면, 만화와 사진책도 눈에 띄었다. 그러나 무엇보다 많은 것은 소설이었다. 그녀는 에드거 앨런 포, 프랑수아 라블레, 조너선 스위프트, 필립 K. 딕의 소설들을 짓밟았고, 빅토르 위고의 작품을 걷어찼으며, 플로베르의 『보바리 부인』 위에서 미끄러졌다. 또 알렉상드르 뒤마에 걸려 균형을 잃었다가, 저지 코진스키 덕에 다시 똑바로 섰다.

방 한가운데에는 건물의 윗부분을 지탱하는 큰 기둥이 있었다. 뤼크레스는 그 기둥에 등을 기댔다.

「아무도 없어요?」

대답 대신에 변기에 물 내리는 소리와 문 여닫는 소리가 들려 왔다. 수도꼭지에서 쏴 하고 물 나오는 소리, 수도꼭지 잠그는 소리, 손 씻는 소리도 잇달아 들렸다. 마침내 거대한 그림자 하나가 천장에 어둠을 드리웠다.

「이지도르 카첸버그 씨세요?」

그녀가 다가갔다. 두꺼운 책들이 가득 쌓인 책상을 마주하고 누군가 공처럼 둥근 실루엣을 보이며 안락의자에 앉아 있었다. 그 사람이 빛의 동그라미 속에 있지 않았기 때문에 뤼크레스는 실루엣의 주인을 볼 수 없었다. 그는 마치 반숙 달걀 받침 그릇에 올려 놓은 달걀 같았다.

둥근 실루엣은 틈입자에게 전혀 관심을 보이지 않고, 오디오의 리모컨을 잡아 드보르작의 「신세계 교향곡」을

틀었다. 그러더니 휴대용 컴퓨터를 열고 자판을 두드리기
시작했다.

「이지도르 카첸버그 씨세요?」

뤼크레스는 음악소리를 압도하기 위해 큰소리로 외쳤다.

여전히 대답이 없었다. 남자는 박자에 맞추어 계속 자
판을 두드리고 있었다. 그러거나 말거나 뤼크레스는 자기
용건을 말하기로 했다.

「저는 뤼크레스예요. 뤼크레스 넴로드요. 『르 게퇴르 모
데른』에서 기자로 일하고 있어요. 고생물학과 관련된 기
사를 쓰고 있는데, 사람들 말이 선배님께서 저를 도와주실
수 있을 거라고 했어요.」

남자는 자판 두드리기를 멈추었다. 그의 얼굴은 여전히
보이지 않았지만, 뤼크레스는 그가 자기 말을 듣고 있다고
확신했다.

「제 생각은 인간의 기원과 피에르 아제미앙 교수 살해
사건을 동시에 다루는 장문의 기사를 쓰겠다는 거예요. 그
교수는 우리 아버지들의 아버지, 모든 아버지들의 아버지
를 찾는 일에 뛰어들었고, 그것을 찾았다고 선언했어요.
저는 누군가 그의 입을 막기 위해서 그를 죽인 거라고 확
신해요.」

뤼크레스는 안락의자에 앉아 조용한 숨소리를 내고 있
는 실루엣 쪽으로 바싹 다가갔다.

「이건 많은 사람들의 관심을 모으는 기사가 될 수 있을
거예요. 추리물과 과학적인 수사를 결합하는 거죠. 아제미

앙 교수의 비밀을 알아내야 해요. 그러면 〈우리는 어디에서 왔는가?〉라는 물음에 대한 답을 얻게 될 거예요.」

마침내 살아 있는 공처럼 둥근 그 남자가 짤막한 소리를 냈다.

「아니에요.」

「예? 뭐가 아니라는 거죠?」

「그건 좋은 주제가 아니에요.」

그의 목소리는 감미로웠다. 아이의 목소리처럼 가녀리다는 느낌까지 들었다. 저렇게 큰 덩치에서 어떻게 아이 같은 목소리가 나올 수 있지? 하고 뤼크레스는 생각했다. 「신세계 교향곡」의 소리가 다시 커졌다.

「왜 그렇죠?」

남자는 대답하지 않았다. 그저 꼼짝 않고 앉아 있을 뿐이었다. 뤼크레스는 자기를 살피고 있는 그의 시선을 느꼈다. 그녀는 선물 대신 명함을 책상 쪽으로 내밀었다.

「저를 도와주고 싶은 마음이 생기시면, 연락 주세요. 여기 제 주소와 전화 번호와 전자 우편 주소가 있어요. 언제든지 연락 주세요. 집으로 하시든가 아니면 휴대폰으로 하세요. 휴대폰은 항상 들고 다니니까요.」

「휴대폰이요? 그런 해로운 물건을 갖고 다녀요? 요즘엔 영화관이고 술집이고 어딜 가나 그 소리가 울리더군요. 이젠 그 물건 때문에 도무지 조용한 곳이 없어요.」

「제 건 항상 진동으로 해놓기 때문에 아무에게도 피해를 주지 않아요. 오히려 저는 이것 덕분에 항상 누군가와 끈이 닿아 있다는 느낌을 갖는걸요. 선배님도 제가 어디를 가든 저를 찾으실 수 있을 거예요. 어때요? 저를 모르는 척하지 않으실 거죠?」

어둠 속에서 퉁퉁한 손 하나가 나와 명함을 받았다.

「그럼, 받아들이시는 거예요?」

뤼크레스가 다시 희망을 가지며 물었다.

「천만에요.」

「도대체 이유가 뭐죠?」

「아가씨가 날 만나러 여기까지 왔다는 것은 이미 테나르디에에게 그 주제를 제안했다가 퇴짜 맞았다는 얘기예요. 물론 나는 그 여자를 좋아하지 않아요. 지적인 깊이도 없고 거칠거든요. 그 여자가 부장 자리를 차지한 건 순전히 술책을 써서 그렇게 된 거예요. 그렇지만 아가씨 문제에 관해서는 그 여자가 옳았어요. 고생물학, 그건 좋은 주제가 아니에요. 미싱 링크 따위에 관심을 갖는 사람은 아무도 없어요. 당연한 거예요. 과거는 더 이상 사람들의 관심을 끌지 못하니까요. 사람들은 최근에 새로 나온 것을 사고 다음 주를 생각해서 일기 예보를 들어요. 그들이 관심을 갖고 있는 것은 미래예요. 과거는 안중에도 없어요. 골동품 가게가 파산하고 족보 만드는 사람들이 가게문을 닫는 판이에요. 이젠 중고차도 안 팔려요. 나이 든 사람들은 얼굴에 주름살이 생기기가 무섭게 양로원에서 숨어 지내요. 이런 판국에, 정말이지 누가 과거에 관심을 갖겠어요?」

뤼크레스는 자기를 바라보는 그의 시선이 점점 더 집요해지고 있음을 느꼈다.

「관심을 갖는 사람들이 전혀 없는 건 아니죠? 누구냐고요? 자기 부모와의 관계에서 어떤 문제가 있는 사람들은 관심을 가질지 모르죠. 나는 아가씨가 왜 그토록 이 주제에 집착하는지 알 것 같아요.」

뤼크레스는 뒤로 조금 물러섰다.

「저에 대해서 뭘 안다고 그러세요?」

「왜요, 알지요. 아가씨를 관찰하고 말하는 걸 들어 보면 알 수 있지요. 아가씨 혹시…… 고아 아니에요?」

뤼크레스는 뭔가로 뒤통수를 한 대 얻어맞은 듯한 느낌이 들었다.

「아가씨가 말할 때 어휘를 선택하는 방식이 아주 의미심장해요. 〈항상 누군가와 끈이 닿아 있다는 느낌〉이라든가, 〈저를 모른 척하지 않으실 거죠?〉 같은 표현들은 시사하는 바가 크지요. 그리고 한 가지 더 예를 들자면, 미싱 링크를 지칭할 때 뭐라고 했지요? 〈우리 아버지들의 아버지〉라고 했어요. 그보다 더 많은 의미가 실린 표현이 있을까요?」

그가 밝은 곳으로 머리를 조금 내밀었다. 뤼크레스는 머리털이 빠져 벗어진 그의 머리를 볼 수 있었다.

「하긴, 우리 아버지들의 아버지, 〈모든〉 아버지들의 아버지를 찾아내면, 아가씨가 적어도 하나의 조상은 알게 되는 셈이지요. 정말 그렇게 생각하고 있는 거 아니에요?」

뤼크레스는 몸이 화석처럼 굳어지는 느낌이 들었다. 목소리는 이렇게 부드러운 사람이 어떻게 저렇게 잔인한 말을 할 수 있지?

「나는 부모 없는 여자들을 좋아하지 않아요. 너무 들러붙거든요.」

해도 해도 너무 했다. 뤼크레스는 더 이상 참을 수가 없었다. 따귀 한 대가 날아갔다. 그러나 그는 잽싸게 피하면서 그녀의 손목을 잡아 거칠게 뿌리쳤다. 그녀가 뒤로 나가떨어졌다. 다행히도 바닥에 떨어질 때의 충격을 책들이 완화시켰다. 뤼크레스는 다시 일어나 적갈색 머리채를 쓸어 가다듬고 에메랄드빛 눈으로 어둠 속을 노려보았다.

「잘났어, 정말. 자기 주제나 아시지. 이 바보, 멍청이, 백치, 숙맥아.」

거의 숨을 헐떡이다시피 하면서 그녀가 다시 내뱉었다.

「어디 고아가 하는 소리 좀 들어 볼래? 그래, 이 소굴에서 책이나 잔뜩 쌓아 놓고 그 같잖은 독설이나 지껄이면서 혼자 잘 먹고 잘 살아 봐라!」

그 말을 끝으로 뤼크레스는 철문을 쾅 닫고 나가 버렸다.

9. 공격

하이에나가 큰 나무의 나지막한 가지 밑을 지날 때, 무리의 식구들이 일제히 나무에서 뛰어내리며 놈을 덮쳤다.

수가 많아지니까 대번에 처지가 뒤바뀐다. 쫓기던 자가 쫓는 자로 바뀐 것이다. 그러나 하이에나는 여럿이 둘러싸고 있는데도 쉽사리 항복할 기미를 보이지 않는다. 놈이 반항하고 있다. 놈이 뿜어대는 콧김의 냄새가 역겹다. 송곳니를 드러내고 있는 모습이 어디 해볼 테면 해보라고 식구들을 놀리는 듯하다.

무리의 우두머리가 신호를 보내자, 힘센 수컷들이 먼저 하이에나를 고꾸라뜨리려고 놈의 다리에 매달린다. 약한 수컷들은 놈을 때리려고 앞뒤로 부지런히 왔다갔다한다. 암컷들은 놈의 기를 죽이려고 고래고래 소리를 지른다.

그는 가쁜 숨을 가누면서 멀찍이 떨어져 그 광경을 지켜보고 있다. 저마다 할 일이 따로 있는 것이다. 그는 자기 몫의 일을 했으므로 이젠 쉬어도 된다.

적의 용기가 가상하다. 여전히 항복할 기색을 보이지 않는다. 아직도 힘이 남아서, 젊은 수컷 하나가 놈의 주둥이를 때리려고 하자 그 손을 덥석 물어 버린다. 넓적다리를 물린 식구들도 여럿이다. 놈이 뒷발질을 하는 서슬에 다리에 매달려 있던 힘센 수컷들이 나동그라진다.

하지만 추격전을 하느라고 이미 힘을 써버린 데다가, 상대가 워낙 수가 많기 때문에, 결국 하이에나는 다리를 꺾고 만다. 그러자 뭇매가 사정없이 날아들고 놈은 털썩 널브러진다. 그런 조건에서 싸우느니 차라리 널브러져 자고 싶다는 듯이.

하이에나가 더 이상 움직이지 않는 것을 확인하자, 젊

은 수컷들은 놈의 숨통을 완전히 끊어 버리라고 아우성치는 암컷들의 갈수록 날카로워지는 외침을 들으며 놈의 머리에 맹렬하게 발길질을 한다.

그는 그 광경을 계속 지켜보고 있다. 문득 하이에나를 돕고 싶다는 생각이 든다. 하지만 그건 있을 수 없는 일이다. 그는 이내 제정신을 차린다. 생각을 다른 데로 돌려야 한다. 그는 고개를 들어 하늘을 본다. 땅에서 무슨 일이 벌어지건 하늘은 그저 무심한 듯하다. 금갈색 구름이 아름답게 피어오른다.

그의 얼굴에까지 피가 튀어 온다. 그는 살육의 현장에서 더 멀리 떨어지기로 하고, 조용히 하늘이나 살펴볼 양으로 나뭇가지에 기어오른다. 구름은 거의 움직이지 않고 제자리에 머물러 있다. 서두를 일도 없고 불안해 하거나 겁먹을 일도 없다는 듯 그저 느긋하기만 하다. 그는 손을 들어 구름을 잡아 보려고 한다. 그러나 손이 닿지 않는다. 펄쩍 뛰어 봐도 손이 안 닿기는 마찬가지다. 그는 혹시나 구름을 만져 볼 수 있을까 해서 우듬지로 올라간다. 그러나 구름은 여전히 너무 높은 곳에 있다.

애석한 일이다.

아래에선 하이에나를 죽이는 일이 끝났다. 식구들 중에도 더러 부상자들이 있지만, 전체적으로 보면 피해는 아주 적은 편이다. 다친 식구들은 저마다 자기 상처를 핥고 있다. 그는 자기에게 그토록 겁을 주었던 하이에나의 시체를 위에서 내려다본다. 자기의 적이었던 자가 김이 모락거리는 고깃덩어리로 변해 버린 것을 보고 있으려니 이상한 기분이 든다.

하이에나는 저렇게 죽었지만, 그의 죽음은 헛되지 않다. 개척자들은 다음 세대에게 너무 빨리 넘지 말아야 할 한계를 가르쳐 주기 위해 자기들의 목숨을 바쳐야 한다. 그것이 자연의 위대한 법칙 가운데 하나이다.

충분히 쉬었다는 생각이 들자, 그는 식구들이 있는 곳으로 내려가기로 한다. 그는 나무줄기를 타고 올라온 덩굴 하나를 잡고 아래로 미끄러져 내려간다.

10. 한밤중의 수색

뤼크레스는 발코니의 쇠 난간에 매어 놓은 밧줄을 타고 미끄러져 내려갔다. 그것 역시 그녀가 잘 하는 일 중의 하나였다.

고아원에 있을 때, 사람들은 그녀에게 〈새앙쥐〉라는 별명을 붙여 준 바 있었다. 어디에도 잘 숨어 들어갈 만큼 몸집이 작았기 때문이기도 했고, 사람들의 신경을 야금야금 갉아서 결국은 자기의 투정을 받아 주게 하는 그 능력 덕분이기도 했다.

밧줄을 타고 내려가면서 뤼크레스는 생각했다. 부장이건 프랑크 고티에건 이지도르 카첸버그건 그 누구도 인간의 기원에 관한 조사를 끝까지 밀고 나가려는 자기를 막지 못하리라고. 기어코 아제미앙 교수의 살해범을 찾아내고 교수의 비밀을 밝혀 내리라고.

뤼크레스는 아래층 발코니로 뛰어내렸다. 아제미앙의 아파트 창문은 닫혀 있었다. 뤼크레스는 젖가슴에서 빨간 다용도 접칼을 꺼내어 납작한 칼날을 골랐다. 그런 다음 두 창문의 틈새로 그것을 어렵지 않게 집어넣어 빗장을 들어올렸다. 길이 트였다.

특공대의 작전을 방불케 하는 그런 일에 적합하도록 뤼크레스는 검은 트랙수트를 입고 긴 머리채를 뒤로 묶고 있었다. 또, 발소리가 나지 않게 고무창이 달린 단화를 신고 있었다.

뤼크레스는 창문을 살며시 열고 다리를 하나씩 안으로 들이밀어 조심스럽게 카펫을 디뎠다. 그런 다음 손전등을 켰다.

그녀가 들어온 방은 피해자의 서재였다. 문득 누군가 그녀를 기다리고 있었다는 느낌이 들었다. 그녀는 재빨리 주위를 비추어 보았다. 가로대에 매달려 있는 원숭이들의 뼈대가 눈에 들어왔다. 손전등의 강렬한 빛을 받아 두개골의 텅 빈 구멍들이 더욱 두드러져 보였다.

「이런, 너희들이었구나.」

두개골들의 구멍 뚫린 그림자가 천장까지 늘어났다.

「너희들은 누가 아제미앙 교수를 죽였는지 아니?」

대답 대신 고릴라의 뼈대에서 작은 나방 한 마리가 빠져나왔다. 고릴라의 아래턱뼈 안을 자기의 주거로 삼았던 그 나방은 한밤중에 갑자기 그렇게 환해진 영문을 몰라, 큰 낭패를 보았다는 듯 방을 가로지르며 요란한 날갯짓을 했다.

뤼크레스는 손전등 불빛을 이 벽 저 벽으로 비춰 보았다. 방 안의 분위기에는 뭔가 분명치는 않지만 가슴을 답답하게 짓누르는 어떤 것이 있었다. 풀리지 않은 수수께끼가 먹구름처럼 무거운 분위기를 드리우고 있는 것일 터였다. 쩍 갈라지며 한 바탕 천둥비를 뿌릴 듯한 먹구름처럼.

그때 마침 밖에서 번개가 하늘을 가르고 천둥소리가 울렸다. 정말 천둥비가 쏟아질 모양이었다. 번개의 하얀 섬광이 간헐적으로 방을 비추었다.

뤼크레스는 〈언론 기사 모음〉이라고 적힌 서류철을 다시 펴서 뒤적였다. 아제미앙 교수가 〈빠진 고리〉에 관한 자기의 연구를 언급한 인터뷰 기사가 눈에 띄었다. 그는 올도웨이 강 둔덕에서 벌일 새로운 발굴 작업에 대해서 이야기하고 있었다. 〈비밀 중의 비밀이라 할 수 있는 인류의 진정한 기원이 머지않아 밝혀질 것입니다. 고대 로마 인들처럼 나도 ≪스투페테 겐테스≫라고 말하고 싶습니다. ≪사람들이여, 놀랄 준비를 하시라≫라고 말입니다.〉

그 서류철에 스크랩되어 있는 기사 중에는 다른 고생물학자들이 아제미앙 교수의 작업에 대해서 이야기하고 있는 것들도 있었다. 다른 학자들은 한결같이 그의 연구에 전혀 관심이 없다는 듯한 태도를 보이고 있었다. 심지어는 〈그가 발굴한 게 무엇이 있는가? 그가 발굴한 것 중에 중요한 의미를 지닌 화석이 단 한 개라도 있는가?〉라고 그의 작업에 대한 경멸을 표시하기도 했다.

뤼크레스는 어떤 작은 소리에 귀가 번쩍 뜨였다. 그녀는 즉시 손전등을 끄고 제자리에 꼼짝 않고 서 있었다.

소리가 끊어졌다가 다시 들려 왔다. 카펫이나 종이 따위를 밟는 듯한 소리였다. 방 안에 누가 있는 듯했다. 뤼크레스는 잠시 머뭇거리다가 손전등을 다시 켜서 소리 나는 쪽을 비추었다. 수염 난 주둥이와 분홍빛의 작은 다리가 보였다. 새앙쥐 한 마리가 휴지통의 종이를 갉고 있다가 불빛에 놀라 달아났다.

문득 휴지통을 뒤져봐야겠다는 생각이 들었다. 진짜 새앙쥐가 왕년에 새앙쥐라는 별명을 가졌던 그녀에게 한 수 가르쳐 준 셈이었다. 뤼크레스는 바닥에 주저앉아 손전등을 입에 물고 구겨진 종이들을 하나하나 펴보기 시작했다. 그러다가 그녀는 이런 내용의 편지를 찾아냈다.

〈나는 이제 살날이 얼마 남지 않았다는 것을 알고 있다. 그들은 나의 입을 다물게 하려고 애쓸 것이다. 내가 알아낸 비밀이 너무 성가시기 때문이다. 내가 비밀을 공개하면 기존의 모든 주장들이 무너지면서 학계 전체가 난처해질 것이 분명하다. 그러나 이건 진리의 문제다. 진리에 맞서서 그들이 할 수 있는 일은 아무것도 없다. 진리를 아무리 물 속에 처박으려 해도 결국엔 다시 물위로 떠오르고 말 것이다. 그래서 그대, 이 글을 읽는 그대에게 나를 도와 달라고 부탁하는 것이다. 만일 그들이 나를 죽이거든 내가

알아낸 비밀을 주위에 알리기 바란다. 진리가 나와 함께 사라지는 일이 없도록 말이다.〉

뤼크레스는 손전등 불빛으로 방 안을 계속 이리저리 비추어 보았다. 책상 의자 뒷벽에 그림이 하나 걸려 있었다. 작은 물고기 한 마리가 훨씬 덩치가 큰 다른 물고기와 이야기를 나누고 있는 모습을 그린 만화였다. 동그란 테 안에 들어 있는 만화의 대사는 이러하였다. 먼저 작은 물고기가 묻는다. 〈엄마, 우리 중의 어떤 자들이 육지에서 살겠다고 물 밖으로 나갔다던데요. 가장 먼저 물 밖으로 나간 자들은 누구였어요?〉 그러자 어미 물고기가 대답한다. 〈대다수는 물 속에 사는 것에 불만을 느낀 자들이지.〉

그런데, 그 대사 중에서 〈불만〉이라는 말에 사인펜으로 줄이 그어져 있고, 그 대신 〈불안〉이라는 말이 들어가 있었다. 만화의 제목은 〈진화의 비밀〉이었다.

뤼크레스가 조사를 계속하려고 손전등 불빛을 다른 곳으로 돌리려는데 딸까닥 하는 작은 소리가 들려 왔다. 이번엔 새앙쥐가 아니었다. 현관문의 자물쇠에서 나는 소리 같았다. 뤼크레스는 얼른 손전등을 끄고 부엌 문 뒤에 가서 도사렸다. 문 열리는 소리가 들렸다. 누가 들어오고 있었다.

뤼크레스는 자물쇠 구멍에 눈을 갖다 댔다. 번갯불이 다시 한번 번쩍였다. 그 불빛에 레인코트를 입은 중키의 남자가 보였다. 제법 묵직해 보이는 가방이 손에 들려 있었다. 그는 가방을 뒤져 원숭이 마스크를 꺼내더니 그것을 얼굴에 쓰고 손전등을 켰다.

강도인가? 그런 것 같지는 않았다. 그는 커다란 휘발유 통을 꺼내 들더니 그 내용물을 카펫에 끼얹기 시작했다. 다른 방들도 이리저리 돌아다니며 끼얹었지만, 특히 그가 목표로 삼고 있는 것은 서재인 듯했다. 그 일이 끝나자, 그는 현관 쪽으로 돌아가서 성냥갑을 꺼냈다. 성냥 긋는 소리가 들렸다. 그는 성냥불을 기름 묻은 카펫에 던지기 전에 잠시 그 불꽃을 바라보았다.

그가 불꽃에 홀려 잠시 뜸을 들이고 있던 그 짧은 순간을 놓치지 않고, 뤼크레스는 그자에게 덤벼들었다. 그녀는 손가락으로 퉁겨 성냥불을 끄고 상대가 기습에 놀란 틈을 타서 상대의 다리 사이에 무릎을 날렸다. 남자가 신음을 토했다. 원숭이 가면의 구멍으로 보이는 두 눈에 놀라움과 고통의 빛이 역력하였다. 상대가 정신을 차릴 틈을 주지 않고, 뤼크레스는 재빨리 상대의 복부를 주먹으로 강타한 다음, 목의 결후(結喉)를 손 날로 치고 열쇠로 팔을 찔렀다. 그러고는 팔을 계속 비틀어 상대를 바닥에 엎어뜨렸다.

다시 한번 번개가 연보랏빛 하늘을 가르면서 아파트 안의 모든 물건들이 흔들렸다. 창유리에 떨어져 흘러내리는 빗물의 그림자가 벽에 걸린 장식 융단에 얼룩을 만들고 있는 것처럼 보였다.

「당신 누구야? 여기서 뭐 하는 거지?」

뤼크레스는 상대의 팔을 더욱 세게 비틀었다. 남자는 그녀가 팔을 조금만 더 비틀면 자기 어깻죽지가 빠지고 말

거라고 생각하면서 그만 하라고 소리를 지르고 싶었지만, 마스크 때문에 숨이 막혀 소리가 제대로 나오지 않았다.

「당신 증거를 없애 버리려고 했지, 안 그래? 어서 말해! 당신 누구야?」

뤼크레스는 그를 뒤집어서 가면을 벗기려고 했다. 그러나 그는 그녀의 힘이 분산된 틈을 놓치지 않고 한바탕 용을 쓰며 잽싸게 몸을 빼내더니, 현관문을 열고 나가 계단 쪽으로 진둥한둥 달아났다. 뤼크레스는 얼른 그의 뒤를 쫓았다.

「저 사람 잡아요!」

그녀가 아래의 건물 현관을 향해서 소리쳤다.

그러나 레인코트를 입은 남자는 벌써 거리로 나가, 목을 잔뜩 움츠리고 종종걸음을 치며 집으로 돌아가는 사람들 사이로 섞여 들어갔다.

그는 익명의 허다한 사람들 속에 끼인 익명의 남자일 뿐이었다.

11. 그의 무리

그는 자기 무리의 식구들을 바라본다.

다들 하이에나의 시체를 둘러싸고 둥그렇게 모여 있다.

그는 자기네 식구가 모두 몇 명인지 알지 못한다. 오른손 손가락을 오랫동안 살피면서 다섯이라는 수를 생각해

내기는 했지만, 그보다 많은 것은 셀 줄 모른다. 다섯이 넘으면, 그냥 〈많다〉이다. 그러니까 그의 무리에는 식구가 〈많은〉 것이다.

그는 자기 식구들의 이름을 알지 못한다. 그들에겐 이름이 없다. 무리 안의 위계(位階)에서 차지하는 자리나 특별한 신체적 특징을 가지고 서로를 구별할 뿐이다.

무리에서 가장 중요한 자는 우두머리이다. 그의 등은 은빛이 약간 도는 털로 덮여 있다. 권력을 갖게 되면 털의 빛깔까지 달라지는 모양이다. 어쨌거나 그와 나이는 같지만 권력을 갖지 못한 다른 수컷들은 등의 색깔이 더 짙다.

무리의 우두머리는 키가 그다지 큰 편은 아니지만, 어깨가 딱 바라지고 가슴이 불룩 튀어나와 있다. 그는 성미가 까다롭고 사납다. 아무나 보면 머리를 툭툭 치는 버릇이 있다. 그럼으로써 자기가 우두머리임을 수시로 일깨우는 것이리라. 혹시라도 자기의 우두머리 자리를 탐내는 자가 있다면, 자기가 때리는 것을 받아들이든지 아니면 자기하고 한판 붙자는 뜻을 내비치는 것이리라.

무리에 위험이 닥치면 우두머리는 앞뒤를 헤아리지 않고 무작정 돌진한다. 그게 꼭 잘 하는 것인지는 알 수 없지만, 무리의 식구들 대부분은 그것을 용기 있는 행동으로 생각한다.

예전에는, 아직 겪어 보지 않은 새로운 일이 벌어졌을 때 섣불리 동요하지 않고 침착하게 행동할 줄 아는 자가 우두머리로 뽑히곤 했다. 그런데 몇 세대 전부터 그런 지혜는 중요하지 않은 것이 되어 버렸고, 이제는 그저 가장 힘센 자를 우두머리로 뽑고 있다.

사랑을 할 때도 우두머리는 유난히 난폭한 모습을 보인다. 자기가 거느리고 있는 암컷들 중의 하나에게 교접을 제안할 때면, 그는 암컷의 두 귀를 잡아당긴 다음 자기 손가락을 암컷의 콧구멍에 집어넣곤 한다. 또 성행위를 하는 동안에는 파트너의 목을 물어뜯거나 털을 잡아당겨서 비명을 지르게 만들기가 일쑤다.

무리의 우두머리 옆에 그의 첫째 암컷이 자리를 잡고 있다. 눈이 검고 크며, 엉덩이가 아주 발그스레하고 말랑말랑한 암컷이다. 그녀는 아무 때나 큰소리를 지른다. 자기는 첫째 암컷이므로 언제나 아주 큰소리로 자기 의사를 표현해야 한다고 생각하는 듯하다. 사냥할 때 적에게 겁을 주는 데는 쓸모가 있지만, 대개는 그 소리가 여간 성가시지 않다.

우두머리의 둘째 암컷은 얌전한 편이다. 첫째 암컷은 툭하면 둘째 암컷의 머리를 쥐어박으며 꾸지람을 놓는다. 그러면 둘째는 셋째에게 화풀이를 하고, 셋째는 속절없이 당하기만 한다. 셋째는 젖먹이를 가슴에 안고 있다. 셋째가 어린것에게 젖을 먹이는 동안에는 우두머리가 그녀에게 접근할 수 없다. 그래서 몹시 화가 난 우두머리는 벌써 여러 차례나 어린것을 죽이려고 했다.

그는 자기 식구들을 계속 둘러본다.

수컷들은 세 부류로 나뉘어 있다. 맨 앞자리를 차지하

고 있는 것은 가장 힘이 센 부류인 지배적 수컷들이다. 그들 중에서 단연 눈길을 끄는 것은 〈비쩍 마른 키다리〉이다. 그는 우두머리가 늙기 시작할 때를 기다리면서 끊임없이 우두머리에게 시비를 거는 자이다. 그의 오른쪽에 〈귀하나를 잃은 자〉가 있다. 그는 어떤 위험한 것이 자기의 오른쪽에서 올 때만 그 소리를 들을 수 있다. 〈너무 긴 생식기를 가진 자〉도 지배적 수컷들 사이에 끼여 있다. 그는 생식기가 너무 길어서 네 다리로 달릴 때는 그것이 땅에 끌린다. 마지막으로 〈입냄새〉라 불리는 수컷이 있다. 그는 별로 힘센 수컷이 아님에도 고약한 입냄새 덕택에 그 부류에 들어 있다. 그는 단지 입을 벌려서 냄새를 풍기는 것만으로도 적을 기절시키는 능력을 지니고 있다.

그들 뒤에 중간 수컷들이 자리를 잡고 있다. 그들은 젊은 수컷들이거나 왕년에는 지배적 수컷이었으나 다른 지배적 수컷과의 싸움에서 패배한 자들이다. 그들은 자기들끼리 종종 싸움을 벌인다. 그 싸움에서 이겨야 현재의 지배적 수컷들에게 도전할 영예를 얻게 되기 때문이다.

그들로부터 조금 떨어진 곳에 피지배적 수컷들이 있다. 그들은 아무에게도 싸움을 걸지 않으며, 힘센 자들이 소리를 지르거나 때리면서 무엇을 시키면 고분고분하게 말을 듣는다.

무리 내에서 조금 특이한 위치를 차지하고 있는 수컷으로 예전의 우두머리가 있다. 보통대로라면 그는 더 이상 힘이 없으므로 버림을 받았어야 마땅하다. 하지만 그는 아주 민감한 후각을 지니고 있어서 먹을 수 있는 식물과 독이 있는 식물을 구별해 낼 줄 안다. 그것은 그들 무리가 생존해 나가는 데 없어서는 안 될 지혜이다. 그래서 그들은 그를 살려 두는 것이다.

병들었거나 사냥을 하다가 불구가 된 수컷들도 보인다. 그들은 무리의 이동을 지연시키지 않을 때에만 식구로 받아들여진다. 사실 그들을 무리 안에 데리고 있는 이유는 포식자들이 기습을 해올 때 그들을 먹이로 내주기 위해서이다. 그들은 천덕꾸러기로 하루하루를 지낸다. 암컷들에게 다가갈 권리도 없고, 식사 때에는 남들이 먹다 남긴 부스러기만을 주워 먹는다.

더 멀리 왼쪽으로 왁자하게 수다를 떨고 있는 암컷들이 보인다. 지배적인 수컷이나 중간 수컷의 암컷들도 있고, 성호르몬 냄새를 강하게 풍기기 시작한 순결한 암컷들도 있다. 한 암컷이 한창 분만을 하는 중이다. 무리에 식구 하나가 늘고 있는 것이다. 어미 뱃속에서 나오자마자 새끼는 제 발로 몸을 가눈다. 어미는 자기 이빨로 탯줄을 끊고 새끼에게 젖을 내민다. 어미는 새끼를 예전처럼 너무 일찍부터 땅바닥에 내려놓지 않으리라고 마음을 먹는다. 어른들의 부주의로 벌써 어린것들을 여럿 잃었기 때문이다.

그는 하이에나 주위에 모여 있는 자기 무리를 계속 관찰하고 있다. 멀리 오른쪽에는 어린 식구들이 모여 있고, 더 멀리에는 늙은이들이 있다.

그리고 마지막으로 그가 있다. 자기 자신에 대해서 생

각을 할 때, 그는 스스로를 그냥 〈나〉라고 부른다. 언젠가 그는 늪에 비친 자신의 모습을 본 적이 있다.

〈나〉에겐 특별한 것이 아무것도 없다.

12. 이지도르 카첸버그

뤼크레스는 알자스 맥주 집에 모여 있는 동료들에게로 갔다. 많은 식구를 거느리고 있는 『르 게퇴르 모데른』의 편집국 내에서 좋든 싫든 그녀가 믿고 의지할 사람들은 그들뿐이었다. 그들은 카운터를 마주하고 선 채 편집국 내부의 일에 대해서 이야기를 나누고 있었다.

「문학부장이 이번에 소설을 냈는데, 베스트셀러는 안 될지언정 평이라도 좋게 받아야겠다고 생각했는지, 자기 소설에 관한 기사를 자기가 직접 쓰고 익명으로 실었다더군.」

누군가의 말에 모두가 웃음을 터뜨렸다.

그들은 다시 맥주 한 잔씩을 주문하고 테이블로 자리를 옮겼다. 뤼크레스도 맥주잔을 손에 들고 과학부장 프랑크 고티에 옆에 가서 앉았다. 파란색의 긴 앞치마를 두른 웨이터가 김이 모락모락 나는 안주를 날라 왔다. 하얀 순대, 프랑크푸르트 소시지, 빵가루를 입힌 돼지 족발, 삶은 돼지 무릎 관절 등 다양한 돼지고기 요리에 시큼한 맛이 나는 채 썬 양배추 절임이 곁들여진 안주였다.

「그건 그렇고, 이지도르 카첸버그와 만났던 일은 어떻

게 됐어?」

과학부장이 물었다.

뤼크레스는 긴 적갈색 머리채를 한번 흔들며 대답했다.

「잘 됐어요. 걱정해 주셔서 고마워요. 하지만 저 혼자
조사하는 게 나을 것 같아요. 어젯밤에 사건 현장에 다시
갔다가 뭔가 심상치 않은 일을 목격했어요. 제가 아파트
안에 있을 때, 어떤 이상한 남자가 불법 침입을 했는데, 얼
굴엔 원숭이 가면을 쓰고 손에는 휘발유 통을 들고 있었어
요. 그는 거기에 있는 것을 모두 태워 버리려고 했어요. 연
쇄 살인범의 행동치고는 이상하지 않아요?」

「그놈을 잡았어?」

「잡았다가 놓쳤어요. 몸이 아주 잽싸더라고요. 달리기
도 잘 하고. 참 아까워요. 그 자식을 놓치지만 않았으면,
많은 걸 알아낼 수 있었을 텐데 말이에요.」

동료들은 돼지고기와 양배추 절임에 마음이 팔려서 그
녀의 이야기를 건성으로 듣고 있었다. 플로랑 펠그리니가
입에 음식을 잔뜩 문 채 총평을 했다.

「어쨌거나 테나르디에 부장은 그 기사를 싣게 하지 않
을 거야. 카첸버그의 도움이 없으면 아무리 새로운 사건이
전개된다 해도 그 주제가 통과될 가능성은 전혀 없다고.」

프랑크 고티에도 같은 생각이었다.

「자, 이제 그 뚱뚱이를 만났던 일이 잘 안 풀렸다고 인
정해. 이제서야 하는 얘기지만, 사실 우리가 너에게 장난
을 좀 쳤어. 인류의 기원이라는 주제에 관한 너의 고집을

73

꺾어 보려고 했던 거야. 카첸버그 그 사람 아무리 찾아가 봐야 소용없어. 갈 때마다 그냥 돌려보낼 게 뻔해. 그는 그런 사람이야. 더 이상 아무도 만나고 싶어 하지 않아.」

뤼크레스는 포크를 놀리다 말고 미간에 주름을 모으며 물었다.

「그 사람 대체 어떤 사람이에요?」

「카첸버그? 완전히 미친 사람이지.」

프랑크 고티에가 잘라 말했다.

플로랑 펠그리니는 마치 점치는 사람이 수정으로 된 공을 들여다보듯이 맥주잔을 뚫어지게 바라보며 다른 의견을 말했다.

「아니야. 기자 생활 말년에는 정신이 조금 이상해졌는지 모르지만, 내가 그를 잘 알아서 하는 소린데, 그 사람한창 때는 파리에서 둘째 가라면 서러워할 만큼 뛰어난 기자였다고.」

그는 웨이터가 안주를 새로 날라 오고 빈 접시를 가져가기를 기다렸다가 이야기를 계속했다.

「내가 알고 지냈던 그 사람은 대머리도 뚱뚱보도 아니었고, 세상과 동떨어져 탑 속에 갇혀 사는 그런 종류의 사람도 아니었어. 당시에 그는 경찰에 몸담고 있었어. 과학 수사 연구소에서 전문 요원으로 일했지. 머리카락이나 이상한 반점, 지문 따위와 같은 미세한 증거들을 분석하는 게 그의 전문 분야였어. 단지 터럭 한 올만 조사해 보고도 그 터럭 주인의 성별과 나이는 물론이고, 스트레스를 받은 정도까지 정확하게 알아내는 능력이 있었다는 거야. 그에게는 그런 일이 수수께끼 놀이 같은 거였지. 그런데, 그의 전문적인 감식 결과가 재판 과정에서 별로 중요하게 받아들여지질 않았어. 그 때문에 그는 좌절감을 느꼈지. 판사나 배심원들이 그의 결론을 따르는 경우가 드물었지. 그래서 그는 과학부 기자로 직업을 바꾼 거야. 그의 기사는 처음부터 독특했어. 경찰 실무를 통해 익힌 지식을 바탕으로 마치 탐정이 수사를 해나가듯이 기사를 썼지. 그건 하나의 혁신이었어. 당국자들의 무미건조한 성명보다는 현장에서 자기가 직접 관찰한 것을 더 중요하게 다루었거든. 마침내 독자들이 그의 아주 특별한 재능을 인정하게 되면서, 온 언론계에 그의 명성이 떠르르해졌지. 〈과학부의 셜록 홈스〉라는 별명도 그래서 생긴 거야.」

케빈 아비트볼이 하얀 종이 냅킨으로 기름 묻은 입을 닦으며 끼어들었다.

「하긴, 그 사람이야말로 기자 일을 〈정상적으로〉 했다고 볼 수도 있지. 요즘 기자들 문제가 많아. 대다수는 너무 타성에 젖어서 더 이상 새롭게 해보려는 노력을 안 해. 그러다 보니 그저 남한테 들은 얘기나 옮겨 적고, 똑같은 방식으로 구성된 똑같은 기사들을 마냥 베끼고 있는 거지.」

플로랑 펠그리니는 그 말에 개의치 않고 자기 이야기를 계속했다.

「이지도르 카첸버그가 기자를 그만두지 않았더라면, 프랑크 고티에 대신에 과학부장으로 승진했을 거야. 그렇지 않나, 프랑크?」

과학부장은 얼굴을 찌푸렸다.

「글쎄, 그랬을지도 모르지. 하지만 그가 사고를 당한 건 내 잘못이 아니야.」

「사고라뇨? 무슨 사고인데요?」

뤼크레스가 물었다.

「어느 날 카첸버그가 지하철을 타고 가는데, 그가 앉아 있던 차량에서 다이너마이트와 녹슨 못으로 채워진 가스통이 폭발했어. 어떤 테러범들이 장치해 둔 폭발물이 터진 거지. 그는 의자가 지켜 주어서 살아났지만 한창 사람들이 많이 밀리는 시간이었기 때문에 참혹한 학살극이 빚어지고 말았어. 그는 자욱한 연기 속에서 갈가리 찢긴 시체들 사이를 기어다니며 부상자들을 도우려고 애썼지.」

테이블에 둘러앉은 사람들은 조용히 고개를 끄덕였다. 그래도 그들 중의 대다수는 식욕을 잃지 않고 소시지며 돼지 무릎 관절 따위를 계속 게걸스럽게 먹고 있었다. 그들의 씹는 소리를 효과음으로 삼아 펠그리니의 이야기가 이어졌다.

「그 테러 사건이 있은 뒤에, 그는 일주일 동안 침식을 잊은 채 집에 틀어박혀 지냈어. 허탈 상태에 빠져 있던 그 단계가 지나자, 그는 무기를 들려고 했어. 살인자들을 모두 찾아내어 죽여 버리고 싶었던 거지. 그러다가 새로운 사실을 알게 되었어. 그 사건이 복잡한 외교 문제와 관련이 있을 뿐만 아니라 프랑스가 그 테러를 지시한 나라에 무기를 팔고 있다는 사실을 알아낸 거야. 결국 자기가 할 수 있는 일은 아무것도 없음을 깨달은 거지. 그때부터 그는 마음의 문을 닫았어. 몸이 뚱뚱해지기 시작했고 기사를 쓰는 일이 갈수록 뜸해졌지. 그러다가 결국은 세상과 동떨어져 혼자 살기 위해서 저수탑을 산 거야.」

「저수탑이 아니라 상아탑이로군…….」

케빈 아비트볼이 토를 달았다.

「아니면 무덤일지도 모르고.」

프랑크 고티에도 동을 달았다.

웨이터가 다시 맥주를 날라 오자, 다들 서둘러 잔을 비웠다. 마치 그 이상한 이야기를 더 잘 소화하려고 그러는 것 같았다. 뤼크레스도 그들처럼 벌컥벌컥 마셨다.

「그러던 중에 그 책이 나왔어.」

플로랑 펠그리니가 다시 말문을 열었다.

「무슨 책인데요?」

「이상한 소설이야. 겉으로 보기에는 그냥 서스펜스와 모험이 있는 단순한 이야기인데, 그것을 통해 능동적인 비폭력주의를 설파하는 책이었지. 그는 그 책을 읽고 또 읽었어. 행간에 감추어진 의미를 이해할 때까지 말이야. 이지도르가 보기에 그 책은 하나의 계시였어. 그는 깨달았지. 자기의 적은 특정한 테러리스트가 아니라 일반적인 폭력이라는 것을.」

「그때부터 글을 다시 쓰기 시작했지. 하지만 너무 논쟁적인 기사들을 썼어.」

프랑크 고티에는 여전히 시큰둥했다.

「세상의 온갖 폭력에 맞서서 이지도르 카첸버그 혼자 열심히 싸웠지. 테러리스트, 아동 학대자, 고문자 따위에 맞서서 말이야. 그가 너무 공격적으로 나오니까 더 이상 그의 기사를 실어 주려는 데가 없었어. 『르 게퇴르 모데른』뿐만 아니라 다른 데서도 그의 기사를 싣지 않았지.」

「그는 너무 폭력적인 비폭력주의자였어. 모든 일에는 한계가 있는 법이야. 악을 고발하는 데에도 한계가 있어. 여러 대사관에서 불평을 하고 프랑스 외무부에서 그의 해임을 요구했지. 결국 그는 해직되었고, 그때부터 저수탑 안에서의 은둔 생활이 본격적으로 시작된 거야.」

케빈 아비트볼이 그렇게 설명을 덧붙이고 난 뒤, 플로랑 펠그리니가 자기 이야기를 마무리했다.

「그렇지만 그는 독자들에게는 물론이고 우리 회사 간부들에게도 신임을 잃진 않았어. 독자들은 그를 잊지 않았고, 간부들 중에는 아직도 그를 후원하는 사람들이 있거든. 그래서 우리가 뤼크레스에게 그 사람을 찾아가 보라고 말한 거야.」

그것으로 카첸버그에 관한 이야기를 끝내고, 그들은 새로 날라 온 고기를 각자의 접시에 공평하게 나누어 먹으며 하루의 피로를 덜었다.

13. 푸짐한 식사

모두가 갓 잡은 하이에나 고기를 먹느라고 여념이 없다.

하이에나 고기의 문제점은 역겨운 냄새가 난다는 것이다. 코를 톡톡 쏘아 대는 썩은 내가 난다. 냄새가 유독 심하게 나는 부위를 먹을 때는 코를 막아야 할 정도이다.

하이에나 고기는 냄새뿐만 아니라 맛도 고약하다. 먹어 보지 않고서는 그 맛을 짐작하기가 어렵다. 맛이 쓰기로 말하면 뒷다리에 붙은 기름 덩어리만큼 쓴 것이 없다.

그는 하이에나 고기를 별로 좋아하지 않는다. 고기는 뭐니뭐니 해도 풀먹이동물의 것이 최고다. 그 동물들의 고기가 더 연하고 부드러우며, 역겨운 냄새도 전혀 나지 않는다. 하지만 그의 주위에 있는 다른 식구들은 아주 맛있게 먹고 있는 듯하다. 특히 피지배적인 수컷들이 맛있게 먹고 있다. 그들은 어떤 강자의 패배를 언제나 자기들의 보잘것없는 삶에 대한 작은 설욕으로 받아들인다. 그들이 앞다투어 하이에나의 털을 계속 잡아뜯는 것도 그런 이유에서일 것이다. 약한 자들의 공연한 잔인성이다.

하이에나의 배가 쩍 갈라지면서 잔치는 더욱 요란해진다. 하이에나에게서는 먹지 않고 버리는 것이 없다. 꼬리는 작은 뼈까지 빨아먹고, 귀는 연골까지 다 먹을 수 있다. 잇몸조차 그냥 버리지 않고 어금니로 아드득 깨물어서 그 안에 든 시큼한 즙을 내어 먹는다. 무리의 우두머리는 어금니가 워낙 단단해서 하이에나의 송곳니까지 박살을 내서 그 안에 든 짭짤한 신경을 맛보기까지 한다.

〈귀가 하나밖에 없는 자〉라는 수컷은 하이에나의 두개골을 잡더니 골을 꺼내기 위해 그것을 나무 열매처럼 쪼개버린다. 분홍빛의 말랑말랑한 덩어리가 손에서 손으로 건네진다. 저마다 골을 조금씩 베어먹고 옆에 있는 식구에게 넘긴다. 〈자기에게 두려움을 주는 적의 골을 먹는 것〉, 그것은 중요한 의식이다. 빨리 달리는 자의 골을 먹으면 더 빨리 달리게 되고, 영리한 자의 골을 먹으면 더 영리해진다고 모두들 생각하고 있다.

무리의 우두머리가 하이에나의 가슴팍을 뻐개자 갈비뼈 사이로 노르스름한 허파가 나타난다. 그는 심한 허기를 느끼고 말랑말랑한 허파꽈리들을 손가락으로 후벼판다. 그것에 손이 닿자, 그는 이 하이에나를 따돌리려고 애면글면할 때 자기의 허파가 터질 듯이 아팠던 것이 생각난다. 그는 이제부터 숨을 더 잘 쉬기 위해 하이에나의 허파를 먹는다. 쫓기는 동안에 느꼈던 그 두려움을 말끔히 잊어버리려면 적어도 세 식구 몫은 먹어야 한다.

어린 식구들은 하이에나의 콩팥을 눌러 짜서 오줌과 섞인 피를 마신다. 〈제 어미가 내려놓고 싶어 하지 않는 자〉로 통하는 어린 것이 눈알 하나를 가지고 장난을 치자, 그 어미가 호되게 나무란다. 먹는 것을 가지고 장난을 치면 못 쓴다고. 장기들이 식기 전에 어서 먹어야 한다고.

그들 주위로 벌써 재칼과 독수리와 까마귀가 모여들고 있다. 썩은 고기를 먹는 그 짐승들 중에서 가장 성미가 급한 자들은 자기들에게 남은 고기를 양보하라고 서슴지 않고 으름장을 놓는다. 재칼 한 마리는 숫제 앞으로 다가와서 어린것을 물기까지 한다. 우두머리의 첫째 암컷이 재칼의 주둥이를 후려친다. 재칼은 뒤로 물러서지 않고 송곳니를 드러낸다. 세상살이에서 문제가 되는 것이 바로 이런 것이다. 누구도 자기 자리에만 머물러 있으려 하지 않고 남의 자리를 노리기 때문에, 자기 자리를 지키려면 끊임없이 자기의 힘을 보여 주어야 하는 것이다. 첫째 암컷은 돌멩이 하나를 집어 재칼의 옆구리를 내지른다. 재칼은 그제야 뒤로 물러선다.

파리들은 남이 허락하건 말건 먹을 것이 있으면 달려든다. 파리 떼가 벌써 고기에 달라붙어 있다. 그것들의 윙윙거리는 소리가 점점 요란해진다.

어린 것 하나가 내장을 뒤지다가 간을 찾아낸다. 우두머리의 첫째 암컷은 다짜고짜 그것을 내놓으라고 윽박지른다. 가장 높은 지위에 있는 자만이 사냥한 짐승들의 간을 요구할 수 있다. 그 요구에는 아무도 이의를 달지 못한다.

첫째 암컷이 간을 먹고 나자, 내장을 뒤지는 손놀림들에 열의가 줄어들기 시작한다. 이젠 맛있는 것이 별로 남아 있지 않기 때문이다. 큰창자가 남아 있긴 하지만, 그건 너무 독한 냄새를 풍기기 때문에 가장 힘없는 식구들이나 먹지 다른 식구들은 거들떠보지도 않는다.

배불리 먹은 식구들은 입에 문 마지막 고기 한 점을 요란하게 씹으면서 흩어진다. 고기를 잘 씹어 먹는 것은 중요한 일이다. 충분히 씹지 않고 삼키면 탈이 나기가 십상이다. 그는 어떤 어린것이 기린의 코를 씹지도 않고 단숨에 삼키려다가 죽는 것을 본 적이 있다.

14. 새앙쥐와 코끼리

뤼크레스는 검은 감초 껌을 입 안에 넣고 찬 공기를 깊이 들이마셨다. 마음을 차분하게 하는 데는 심호흡보다 더 나은 것이 없었다. 그녀는 마음을 다잡고 이지도르 카첸버그가 사는 저수탑의 육중한 철문을 두드렸다.

대답이 없었다. 그러나 뤼크레스는 문이 잠겨 있지 않음을 확인했다. 안으로 들어서자 원뿔꼴의 방 한가운데에 서 있는 이지도르 카첸버그의 모습이 보였다. 그는 떡갈나무로 된 보면대에 책을 올려 놓고 읽는 중이었다. 이번에는 그가 빛 속에 있었기 때문에 뤼크레스는 비로소 그의 모습을 제대로 볼 수 있었다.

사람의 기척에 그가 고개를 들었다.

두 사람은 아무 말 없이 한동안 서로를 바라보았다.

이지도르 카첸버그는 뤼크레스가 첫번째 방문 때 생각했던 것보다 훨씬 키가 크고 뚱뚱했다. 키 1미터 95센티미터에 몸무게는 1백20킬로그램쯤 될 듯했다. 그는 공처럼 둥글고 매끈매끈한 몸에 연한 베이지색 포플린 옷을 걸치고 있었다. 허리띠도 두르지 않았고, 손목시계도 차지 않았으며, 구두끈도 매지 않았다. 〈이 사람은 자기의 옷 입는 방식에도 비폭력주의를 적용하는가 보군〉 하고 뤼크 레스는 생각했다.

그의 머리는 거의 벗겨져 있었다. 귀가 큼지막하고 이 마가 넓고 입술은 두툼했다. 뾰족한 코에는 작은 금테 안 경을 걸치고 있었다. 어딘가 모르게 덩치가 비정상적으로 큰 아기를 보는 듯한 느낌을 주었다.

그의 눈은 뭔가를 찾아 끊임없이 움직이고 있었다. 〈고 독하고 불안한 코끼리…….〉 그 생각이 문득 그녀의 뇌리 를 스쳤다. 아닌 게 아니라 카첸버그에게는 가네슈, 곧 힌 두 신화에 나오는 그 코끼리 머리를 가진 신을 연상케 하 는 구석이 있었다.

「내가 코끼리와 비슷하다고 생각하고 있군요. 그걸 어 떻게 아느냐고요? 내 커다란 귀에 눈길을 많이 주고 있잖 아요. 내 귀를 그렇게 뚫어지게 쳐다보는 사람들은 나를 코끼리에 비교한다는 것을 알고 있거든요.」

「저는 인도의 신 가네슈를 생각하고 있었어요.」

카첸버그는 몸을 돌리더니 책 더미 속을 뒤져 가네슈의 작은 조상(彫像)을 꺼냈다.

「가네슈는 지혜의 신이자 농담의 신이지요. 왼손에는 책을, 오른손엔 잼 단지를 들고 있어요. 그런데, 혹시 가네 슈의 전설을 아세요?」

뤼크레스는 머리를 가로 저었다.

「어느 날 그의 아버지 시바가 여느 때보다 늦게 귀가하다가 그와 맞닥뜨렸어요. 시바는 가네슈를 몰라보고 그가 자기 아내 파르바티와 정을 통하는 사내라고 지레짐작했지요. 시바는 즉시 칼을 빼어 가네슈의 목을 잘랐어요. 파르바티가 달려나와 시바가 방금 목을 자른 사람이 바로 그 자신의 아들이라는 사실을 일깨워 주었지요. 시바는 비통한 마음으로 아내에게 사죄하고, 아들의 잘려 버린 머리를 누구든 방 안에 가장 먼저 들어오는 자의 머리로 바꾸어 주겠다고 약속했어요. 그때 나타난 것이 바로 코끼리였답니다.」

뤼크레스는 청동 조상의 발 아래에 뭔가 쥐처럼 생긴 작은 것이 있음을 발견하고 그것을 가리키며 물었다.

「이건 뭐예요?」

「그가 타고 다니는 동물이지요. 가네슈는 새앙쥐를 타고 다니는 코끼리인 셈입니다.」

그는 뤼크레스를 요모조모 살펴보았다. 그의 시선은 그녀의 옷과 살갗에서 튀어나오는 빛알갱이들을 하나도 놓치지 않고 빨아들일 것처럼 강렬하였다.

이 여자는 도대체 어떤 사람일까? 무엇 때문에 고집스럽게 나를 찾아오는 거지?

자그마한 체구. 키 1미터 60센티미터에 몸무게는 50킬로그램 정도. 근육이 발달된 팔. 탱탱한 젖가슴. 에메랄드빛의 생기 있는 눈. 긴 속눈썹. 긴 적갈색 머리. 작고 예쁜 발. 여유롭고 규칙적인 숨결. 민첩한 몸놀림. 안정된 시선. 입 안에 든 껌. 예쁘게 목을 가눈 자세. 저토록 우아한 자태를 지닌 걸 보면 아주 어려서 고전 무용 같은 것을 했음에 틀림없다.

〈만일 우리가 함께 일을 하게 된다면, 로렐과 하디[7]만큼이나 안 어울리는 콤비를 이루겠군〉 하고 뤼크레스는 생각했다.

그녀가 한숨을 내쉬며 말했다.

「사과 드리러 왔어요. 지난번엔 제가 너무 무례했어요.」

「나도 무례하긴 마찬가지였어요. 우리 서로 비긴 걸로 합시다.」

「선배님이 비폭력주의의 신봉자이신 줄 몰랐어요.」

「그걸 알았다 해서 뭐가 달라지겠소?」

「비폭력주의자들은 왼쪽 뺨을 맞으면 오른쪽 뺨을 내민다잖아요.」

「그건 구식이에요. 오늘날의 비폭력주의자들은 따귀 맞는 것을 피하기 위해 고개를 숙이죠. 그럼으로써 공격자에게 폭력 행위를 저지른 것에 대한 불편한 마음조차 갖지 않게 하는 겁니다.」

「제가 선배님을 모욕했어요. 바보, 멍청이, 백치, 숙맥이라고 욕했잖아요.」

카첸버그의 둥근 얼굴에 그 점에 관해서라면 자기도 하

---

7) 영화사에서 가장 유명한 코믹 콤비 중 하나인 미국 배우 스탠 로렐(1890~1965)과 올리버 하디(1892~1957). 로렐은 몸이 마르고 하디는 뚱뚱했다. 1926년부터 단짝이 되어 활동했다.

고 싶은 말이 많다는 듯한 표정이 역력했다.

「바보를 뜻하는 프랑스 어 〈앵베실*imbécile*〉이 어디에서 온 말인지 알아요? 라틴 어 〈임베킬루스*imbecillus*〉에서 온 거예요. 원래 지팡이를 가지고 있지 않은 사람이라는 뜻이지요. 약한 사람이 쓰러지지 않으려면 지팡이나 목발 따위에 의지해야 한다는 사실을 빗댄 것입니다. 어떤 교의나 교리에도 의존하지 않고, 어떤 스승에게도 기대지 않고 살아간다는 건 용감한 거 아니에요? 나는 바보이기를 바라고 되도록 오랫동안 바보로 남고 싶습니다.」

뤼크레스는 꿈보다 해몽이 일품이라고 생각하며 고개를 끄덕였다.

「나는 내가 멍청이라는 것도 인정해요. 멍청이를 뜻하는 〈스튀피드*stupide*〉라는 말은 라틴 어 〈스투피두스*stupidus*〉에서 왔어요. 원래는 〈놀라운 일을 당해서 어리둥절하다〉는 뜻이었지요. 그러니까 멍청이는 모든 것에 놀라고 모든 것에 경이로움을 느끼는 사람인 셈입니다. 나는 오래도록 멍청이로 남고 싶어요. 백치를 뜻하는 〈이디오*idiot*〉는 그리스 어 〈이디오테스*idiotes*〉에서 온 것으로 〈특별하다〉는 뜻을 담고 있습니다. 〈이디오티슴*idiotisme*〉이라는 말이 어떤 언어의 고유 어법을 가리킨다는 점을 생각하면, 금방 짐작이 갈 거예요. 결국 백치는 특별한 사람인 셈이고, 나는 특별한 사람이 되기를 바래요. 나를 숙맥이라고도 했지요? 숙맥을 뜻하는 프랑스 어의 〈콩〉은 여성의 생식기를 가리키는 말이기도 하지요.[8] 어떤 사람을

〈콩〉이라고 부르는 것은 그 사람을 최상으로 대접하는 거 아닌가요? 세상에서 가장 매력적인 것, 더할 나위 없이 풍요로운 생명의 원천과 그를 연결시키는 것이니까 말이에요. 나는 정말이지 바보, 멍청이, 백치이면서 숙맥이기를 바래요.」

뤼크레스는 바닥에 흩어진 책들 사이로 발걸음을 옮기며 말했다.

「선배님의 삶을 변화시킨 책이 있다고 들었는데, 그게 무슨 책이죠?」

보아하니 그의 잡동사니 속에 문제의 책이 들어 있는 모양이었다. 그는 책 더미 쪽으로 곧장 걸어가더니 그 한복판에 놓인 책 한 권을 집어 그녀에게 보여 주었다. 표지에는 사람들이 지평선에 떠오르는 태양을 향해 가고 있는 모습이 그려져 있었다. 삶의 지혜를 가르쳐 주는 책이라기보다는 모험 소설 같은 인상을 주었다.

「아무 서점에나 가도 구할 수 있는 책이에요. 특별한 게 전혀 없어요. 어쩌면 바보 같고 멍청이 같고 백치 같고 숙맥 같은 책이라고 볼 수도 있지요.」

「그 말은 이 책이 교조적이지 않고 경이롭고 특별하고

---

8) 숙맥은 숙맥불변(菽麥不辨)을 줄인 말로 〈콩과 보리를 구별할 줄 모르는 어리석은 사람〉이라는 뜻이다. 그런데, 만일 이 콩과 보리를 여성 생식기를 구성하는 두 요소의 은유로 볼 수 있다면, 우리말의 숙맥도 프랑스 어의 *con*만큼이나 성적인 함의가 강한 말로 간주될 수 있을지 모르겠다.

여성적이라는 얘기군요.」

뤼크레스는 그렇게 받아넘기고, 그가 건네주는 책을 받아 대충 훑어보았다. 그러는 동안 이지도르 카첸버그는 그 책에 관하여 간략하게 설명하였다. 그가 보기에 그 책에는 대단히 흥미로운 두 가지 개념이 담겨 있다고 했다.

「첫째는 〈최소 폭력의 길〉이라는 개념입니다.」

「최소 폭력의 길이요? 그게 뭐죠?」

「인간은 자기 자신에 대해서, 남에 대해서, 또는 세계 전체에 대해서 끊임없이 폭력을 사용하는 상태에 있기 때문에 고통을 받습니다. 그런 상태에서 벗어나려면, 우리의 행동 하나 하나가 폭력의 연쇄 반응을 야기할지도 모른다는 점을 고려하면서, 그 행동의 결과를 예상해 보는 것이 중요하지요.」

이지도르는 책 무더기의 꼭대기에 그 책을 다시 올려 놓았다. 그러자, 그의 이야기를 예증이라도 하려는 듯이, 책 무더기가 와르르 무너졌다. 그는 그것에 개의치 않고 이야기를 계속했다.

「두 번째의 중요한 개념은 〈숫자에 따른 세계의 진화〉입니다.」

뤼크레스는 의자 겸 책꽂이의 모서리에 무심코 걸터앉았다가 엉덩이가 아파 오는 것을 느끼고 되도록 편안하게 고쳐 앉았다.

「내 이야기를 잘 들어 보세요. 우리는 날마다 수도 없이 숫자들을 사용하고 있습니다. 우리가 아라비아 숫자라고 부르는 그것들은 일종의 그림이라고 할 수 있지요. 그런데, 우리가 별다른 생각 없이 사용하는 그 그림들에는 온전한 하나의 가르침이 담겨 있어요. 그 그림들은 고대 인도인들이 발명한 것인데, 선의 모양에 따라 의미하는 바가 달라지지요. 숫자들에 담긴 의미를 해독하기 위해서는, 우선 숫자의 모양에서 둥근 선은 사랑과 해방을 뜻하고 가로줄은 집착과 구속을 의미하며, 선의 교차는 선택의 기로를 나타낸다는 것을 알아야 해요. 먼저 1부터 말씀드리자면, 1은 광물의 단계입니다.」

그는 그녀가 모양을 분명히 볼 수 있도록 허공에 숫자를 그렸다.

「1은 마치 거석처럼 꼼짝 않고 서 있어요. 1은 아무것도 느끼지 못해요. 그냥 존재할 뿐이지요. 곡선도 없고 가로줄도 없으며 선이 교차하지도 않아요. 따라서 사랑도 집착도 선택도 없어요. 광물의 단계에서 우리는 지금 여기에 그냥 아무 생각 없이 존재하는 거예요.

2는 식물의 단계예요. 이 숫자에는 꽃줄기처럼 굽은 선이 있고 아래에 뿌리 같은 줄이 있어요. 2는 땅에 속박되어 있지요. 식물은 땅에 붙박여 이동할 수가 없어요. 윗부분의 곡선은 식물의 줄기에 해당합니다. 2는 하늘을 사랑하지요. 식물은 하늘과 구름의 마음에 들기 위해 고운 빛깔과 조화로운 맵시로 꽃을 아름답게 만들지요.

3은 동물의 단계예요. 이 숫자에는 두 개의 곡선이 위아래에 있어요. 3은 하늘을 사랑하고 땅을 사랑하지요.」

「마치 벌린 입 두 개가 겹쳐진 꼴이군요.」

뤼크레스의 말에 이지도르가 맞장구를 쳤다.

「맞아요. 두 입이 겹쳐진 모양이지요. 무엇을 깨물려는 입이 아래에 있고 입맞춤하려는 입이 위에 있어요. 3은 이 중성 속에서만 살아갑니다. 사랑하기도 하고 사랑하지 않기도 하지요. 가로줄이 없기에 땅에도 하늘에도 매여 있지 않아요. 동물은 늘 움직이며 두려움과 욕망 속에서 살지요. 3은 본능의 지배를 받고 늘 자기 감정의 노예가 됩니다.」

이지도르는 양손의 집게손가락을 교차시키며 말을 이었다.

「4는 인간의 단계예요. 교차로를 뜻하는 십자 모양의 상징을 품고 있지요. 교차로는 곧 선택의 기로입니다. 이 단계에서 잘 행동하면 동물의 단계를 떠나 다음 단계로 넘어가게 됩니다. 3의 동물 단계에서 5의 단계로 이행하는 것이지요. 우리가 욕심과 두려움에 휩쓸리지 않고 본능적인 감성으로만 반응하기를 그치는 것은 가능한 일이에요. 우리는 〈좋아 - 싫어〉의 딜레마에서 벗어날 수 있어요.」

「5의 단계에 도달하면 어떻게 되죠?」

「5는 영적인 인간, 정신적으로 진화한 인간의 단계예요. 위에 가로줄이 있는 것은 하늘에 묶여 있음을 나타내죠. 곡선이 아래로 향한 것은 아래에 있는 것, 곧 땅에 대한 사랑을 뜻해요. 이 숫자는 2를 뒤집은 모양이에요. 식물은 땅에 붙박여 있고, 영적인 사람은 하늘에 매여 있지요. 식물은 하늘을 사랑하고 영적인 사람은 땅을 사랑합니다. 앙드레 말로가 〈세 번째 천년은 영적이거나 그렇지 않거나 둘 중의 하나일 것이다〉라는 유명한 말로 하고자 했던 얘기가 바로 이것일 거예요. 인간은 5이거나 5가 아니거나 둘 중의 하나가 될 거예요. 우리가 도달할 목표는 이런 거예요. 칠정(七情)의 속박에서 벗어나는 것, 본능적인 반응을 다스려 영적인 존재가 되는 것.」

뤼크레스는 잠시 침묵을 지키며 생각에 잠겨 있다가 물었다.

「그럼 6은요?」

이지도르는 깊은 뜻을 감추고 있는 듯한 표정을 지었다.

「그것에 대해 말하기에는 너무 일러요. 앞의 다섯 숫자에 담긴 뜻을 온전히 이해하는 것만으로도 비약적인 발전이 이루어지는 셈이에요. 나의 모든 활동이 단지 그것을 사람들에게 이해시키는 데에만이라도 도움이 되었으면 좋겠어요. 그러면 나는 스스로 쓸모 있는 인간이었다고 생각하게 될 것 같아요.」

뤼크레스는 눈앞의 허공에 다섯 숫자를 차례차례 그려 보며 말했다.

「참 묘하군요. 이 숫자들을 늘 보고 있으면서도 그저 셈을 하는 데 사용하는 기호로만 여겼지 거기에 다른 의미가 담겨 있다는 생각은 전혀 못했어요.」

「사람들은 자기들을 둘러싸고 있는 사물에 별로 주의를 기울이지 않아요. 다들 자기들의 선입견에 따라서 행동하고 모든 걸 이미 다 알고 있다고 생각하지요.」

그는 육중한 몸을 한번 흔들고 말을 이었다.

「어쨌거나 나는 미래로 가는 길을 제시하는 이 숫자들의 이야기를 통해서 아가씨의 생각이 바뀌기를 바래요. 우리에게 중요한 질문은 〈우리는 어디에서 왔는가?〉가 아니라, 오히려 〈우리는 어디로 가는가?〉예요.」

뤼크레스는 자리에서 일어나더니 방을 가로지르며 책들을 성큼성큼 넘어갔다. 벽을 덮고 있는 자석 메모판들을 자세히 살펴보기 위해서였다. 메모판들에는 신문과 잡지에서 오려 낸 글과 사진, 그림, 구입해야 할 물건들의 목록 따위가 붙어 있었다.

「그 반대예요. 선배님의 이야기를 통해서 오히려 제가 마땅히 할 일을 하고 있다는 생각이 더욱 굳어졌어요. 미래를 향해 어떤 길로 나아갈 것인지를 알기 위해서는 먼저 과거를 알아야 해요.」

이지도르는 메모판에 붙어 있던 종이 한 장을 떼어 낸 다음, 책 더미 아래에서 접었다 폈다 하는 쇼핑용의 작은 손수레를 꺼냈다.

「어디 가세요?」

「아, 드디어 질문을 제대로 하시는군요. 어디 가느냐고요? 별일 아니고 그냥 장보러 가요. 시간이 됐어요. 채소하고 과일이 필요해요.」

「제가 같이 가도 될까요?」

그가 끄는 작은 손수레의 녹슨 바퀴가 삐걱거렸다. 밖으로 나와서도 그들의 대화는 계속되었다. 웃자란 잡초와

쐐기풀이 우거진 공터를 지나자, 양편에 작은 집들이 늘어
선 길이 나왔다. 그들은 그 길을 따라 걷다가 이윽고 장이
서는 광장에 다다랐다. 오래된 작은 성당 맞은편에 채소와
과일을 파는 아낙들이 좌판을 벌여 놓고 있었다. 아낙들은
한결같이 뺨이 발그레하고 몸집이 단단해 보였다.

이지도르는 자기가 먹을 것을 대충대충 사는 사람이 아
니었다. 멜론의 냄새를 오랫동안 맡아 보고 망고의 무게를
세심하게 가늠할 줄 알며, 장수에게 물건이 언제 들어온
것인지를 물어본 다음에야 토마토와 악어배를 고르고 양
파에 손을 대는 사람이었다. 자기 양식을 그렇게 정성스럽
게 고르면서, 그는 이야기를 계속했다.

「자기 과거에 너무 홀려 있거나 매여 있으면 앞으로 나
아가는 것이 더디어지게 마련이지요. (이 빨간 무 두 단
주세요. 예, 그거, 아주 빨간 거로요.) 자기의 미래만 바라
보게 되면 발걸음이 한결 가벼워질 거예요. 과거에 너무
홀려 있는 것은 정말 좋지 않아요. (이 배 잘 익은 거죠?)
나라의 경우도 마찬가지예요. 시대에 뒤떨어진 체제로 되
돌아감으로써 자기네의 정체성을 되찾을 수 있다고 생각
하는 나라들을 생각해 보세요. 몽골에서는 칭기즈칸의 유
산에 대한 권리를 요구하고 있고, 아프가니스탄에서는 서
기 800년 무렵의 법률을 되살리려고 해요. 러시아에는 새
로운 차르(황제) 체제가 이루어지기를 바라는 자들이 있
어요. (이거 다 해서 얼마죠?)」

이지도르는 동전 지갑에서 꼬깃꼬깃한 지폐 한 장을 꺼

내어 셈을 치른 다음, 거스름돈을 받아 지갑에 넣고 과일과 채소가 든 봉지들을 작은 손수레에 실었다. 그의 이야기가 계속되었다.

「과거는 되도록 빨리 청산하는 것이 좋아요. 정신분석이 사람들을 과거로 돌아가게 하는 이유도 따지고 보면 그들을 과거에서 빨리 벗어나게 하려는 것이지요. 과거에 너무 집착해서 허구한 날 그것을 되작거리고 있는 사람들이 너무 많아요. 뒤를 돌아다보기보다는 앞을 바라보는 것이 훨씬 나을 거예요.」

그 말을 하는 동안 그의 발걸음이 빨라지면서 뤼크레스가 조금 뒤로 처졌다. 뤼크레스는 그를 따라잡으려고 종종걸음을 쳤다.

그때, 주택 단지의 골목길에 갑자기 자동차 한 대가 나타났다. 자동차가 그녀와 나란해지자, 문이 벌컥 열리며 두 팔이 튀어나오더니 그녀를 덥석 잡아 안으로 끌고 들어갔다. 뤼크레스가 미처 정신을 차릴 새도 없이, 그녀의 입에 재갈이 물리고 천으로 눈이 가려지고 있었다.

이지도르는 아무것도 알아차리지 못한 채 혼자서 이야기를 계속 늘어놓고 있었다.

「절대로 뒤를 돌아보면 안 돼요. 자꾸 뒤를 돌아보면 앞을 내다보는 것을 잊게 되거든요. 예를 들어, 내가 만약 앞을 바라보다 말고 뒤를 돌아본다면, 나는 아마 여기 이 가로등에 머리를 쾅……..」

차문이 쾅 소리를 내며 다시 닫히자, 자동차가 타이어

마찰 소리를 요란하게 내며 튀어 나가듯이 출발하였다.

자동차가 막 이지도르 카첸버그 옆을 대단히 빠른 속도로 지나치려 할 때, 그는 차창 너머로 뤼크레스의 모습을 보았다. 그녀는 원숭이 가면으로 얼굴을 가린 자들의 억센 팔에 붙들린 채 몸부림을 치고 있었다.

15. 식물 채취

예전의 우두머리가 잔털이 많은 잎들을 한 무더기 가져온다. 하이에나 고기를 소화시키는 데 도움을 줄 잎들이다.

그 잎들은 갈고리 모양으로 된 잔털이 많다는 점에서 여느 잎들과는 다르다. 잎에 기생하는 벌레들이 그 잔털에 붙어 있어서, 그 잎을 먹으면 한바탕 설사가 나면서 창자가 세척된다.

그들은 우걱우걱 잎을 씹어 먹는다. 고기도 먹고 풀도 먹는 날은 운수 좋은 날이다. 붉은 고기를 먹으면 감정이 흥분되고 신선한 잎을 먹으면 마음이 차분해진다.

잎을 다 먹고 나자, 그들은 나무 열매를 따먹는다. 하이에나 고기를 먹고 나면 방귀를 자주 뀌는데, 그럴 때 나무 열매를 먹으면 방귀가 멎는다.

그때, 나무 아래에 한 무리의 하이에나가 갑자기 나타난다. 무슨 일이 일어났는지 알고 싶어서 온 것이다. 놈들은 파리 떼와 까마귀들이 달라붙어 있는 저희 식구의 유해를 발견하더니 나무 위를 올려다본다. 감히 자기네 무리를 그런 식으로 모욕한 자들이 누구인지를 알아보려는 것이다.

무리의 우두머리는 자기 가슴팍을 주먹으로 치고 혀를 세게 찬다. 하이에나를 죽인 건 자기네 무리이며 앞으로도 그런 일은 얼마든지 있을 것임을 알리려는 것이다.

이건 역사적인 순간이다. 그들과 하이에나 사이의 먹고 먹히는 관계가 뒤바뀌었기 때문이다.

무리의 암컷들은 새된 소리를 내질러 하이에나들을 조롱한다. 그 날카로운 외침에 온 숲이 진동한다. 그 서슬에 아무도 날짐승 하나가 다가오는 소리를 듣지 못했다. 큰 날짐승이 날갯짓 소리를 규칙적으로 내며 가까이 오고 있었는데도.

아래를 내려다보는 자는 올려다보는 것을 잊게 마련이다.

그 누가 채 경보를 내리기도 전에, 독수리 한 마리가 내리꽂히듯이 날아 내려와 모두가 무관심한 틈을 타서 어린것 하나를 낚아챈다. 그 어린것은 나무 열매에서 구더기를 떼어 내는 일에 몰두해 있었다. 과육은 버리고 단지 구더기를 먹기 위해서 말이다.

그들은 어린것을 지켜 줄 엄두도 못 내고, 어린것이 빽빽거리며 날아오르는 것을 그저 입을 헤 벌린 채 지켜볼 뿐이다.

그러나 독수리가 낚아챈 어린것은 여느 어린것과는 다르다. 바로 그 어미가 한시도 떼어놓고 싶어 하지 않는 귀염둥이다. 어미가 어린것을 악착같이 붙잡고 늘어지는 바람에 이번엔 어미가 끌려 올라간다.

독수리가 서서히 고도를 높인다. 그때, 그는 할 수 있는 데까지 해보자는 마음으로 나무 꼭대기를 향해 전속력으로 기어 올라간다.

시간의 흐름이 갑자기 느려지는 듯하다.

독수리는 쌍으로 걸려든 먹이의 무게 때문에 헐떡이며 날아오른다. 어미는 아직 나뭇가지 가까이에 있다. 그는 허공으로 뛰어오르며 두 팔을 앞으로 멀리 내민다. 죽기 아니면 살기다. 그는 가까스로 어미의 발을 붙잡는다. 그들 모두가 잠시 허공에서 정지한 듯하더니, 어미가 비명을 지르며 어린 것을 잡고 있던 손을 놓치고 만다.

큰 먹이가 떨어져 나가자, 독수리는 작은 먹이를 단단히 그러쥔 채 즉시 하늘 높이 올라간다.

그가 땅바닥에 떨어지기가 무섭게 하이에나들이 덤벼든다. 그는 놈들의 송곳니를 아슬아슬하게 피해 재빨리 나지막한 나뭇가지 위로 뛰어오른다.

독수리는 계속 하늘 높이 올라간다. 무리의 암컷들이 독수리를 향해 풋열매를 던진다. 그러나 독수리는 이미 너무 멀리 있다.

납치된 어린것은 살려 달라고 울부짖는다.

그는 하늘 높이 떠가는 어린것을 올려다본다. 오히려 그 어린것이 더 운이 좋다는 생각이 든다. 어쨌거나 저 어린것은 하늘을 날고 있지 않은가. 살면서 단 한 번이라도 저렇게 날아 본 적이 있노라고 자랑할 수 있는 자가 무리 중에 누가 있겠는가? 아무리 있는 힘을 다해 뛰어오른다 해도 결코 저렇게 높이 올라갈 수는 없을 것이다. 참으로 애석한 일이다.

16. 고약한 15분

뤼크레스 넴로드는 삐걱거리는 소리가 많이 들리는 장소로 떠밀려 들어갔다. 두 손이 그녀의 어깨를 눌러 의자에 앉히고, 다른 두 손이 그녀의 손목을 의자 등받이에 묶었다. 보이는 건 아무것도 없었고, 들리는 거라곤 이상한 소음뿐이었다. 두 손이 다시 그녀의 발목을 잡고 양쪽으로 벌리더니 의자 다리에 붙들어맸다.

뤼크레스는 몸을 버둥거려 보았다. 그러나 너무 단단하게 묶여 있었기 때문에 무엇을 어떻게 해볼 도리가 없었다. 게다가 그녀가 그렇게 손과 발이 묶인 채 허리를 흔들고 몸을 비틀면, 납치자들이 그 모습을 보며 오히려 즐거워할 거라는 생각이 들었다. 그래서, 그녀는 이내 모든 움직임을 멈추고 죽은 시늉을 했다. 꼼짝 않고 있는 사냥감은 움직이는 사냥감보다 언제나 포식자들을 더 짜증나게 하는 법이다. 그 생각은 틀리지 않았다. 두 손이 다가와 입에 물린 재갈을 빼주고 눈가림 천을 풀었다. 뤼크레스는 목을 틔우기 위해 침을 삼키고 빛에 다시 익숙해지기 위해 눈을 깜박였다.

페인트칠이 벗겨진 거무튀튀한 벽, 때가 덕지덕지 묻은 불투명 창유리, 먼지투성이의 시멘트 바닥. 그녀가 끌려온 곳은 폐쇄된 공장 안이었다. 곰팡내와 녹내가 났다. 체구가 건장한 세 남자가 얼굴에 원숭이 가면을 쓴 채 그녀를 바라보고 있었다.

그들이 가면을 계속 쓰고 있다는 사실에 그녀는 마음을 놓았다. 그들이 가면을 벗지 않는다는 것은 결국엔 그녀를 풀어 줄 거라는 뜻이었다. 그들은 나중에 그녀가 자기들을 알아보는 일이 생기지 않기를 바라는 거였다.

사내들 중의 하나가 다가와 그녀의 턱을 잡았다.

「아제미앙 교수의 아파트에서 뭐 하고 있었지?」

뤼크레스는 코웃음을 치며 대꾸했다.

「흥, 그러니까 당신이 바로 나한테 혼구멍이 났던 그 복면의 방문객이로구먼.」

「그래, 너 그 말 한번 잘했다.」

사내는 그렇게 중얼거리더니, 그녀의 따귀를 때렸다. 그 서슬에 그녀의 머리채가 펄럭이고 그녀의 연한 뺨에 빨간 손자국이 났다. 뤼크레스는 입 안에 피가 고이는 것을 느꼈다. 아드레날린이 솟구쳤다. 적들과 맞붙어 싸우고 싶은 생각이 간절했다. 그래서 그녀는 다치는 것을 개의치 않고 결박당한 손과 발을 빼내려고 안간힘을 썼다.

「사내가 오죽 못 났으면 여자를 때리는 것도 모자라서 이렇게 묶어 놓고 때리냐? 치사한 자식. 지난번엔 오금을 못 펴고 당하더니 오늘은 아주 기가 살았네.」

말이 끝나기가 무섭게 사내가 또 한차례 따귀를 올려붙였다. 사내가 단조로운 목소리로 다시 물었다.

「아제미앙 교수의 아파트에서 뭐 하고 있었지? 그의 서재에서 뭘 찾고 있었느냐고? 거기에서 찾아낸 게 뭐야?」

흘러내린 머리카락이 아직 그녀의 눈을 가리고 있었다. 그녀는 가빠지는 숨을 가누려고 애썼다. 분노를 다스리고 상대를 때리고 싶은 욕구를 억눌러야 했다. 아드레날린이 솟구치더라도 숨을 고르고 여유를 잃지 말아야 했다.

「원숭이들하고는 이야기하고 싶지 않아.」

다시 따귀 한 대가 날아왔다. 다른 사내가 그녀의 앞으로 오더니, 얼얼한 뺨을 쓰다듬으며 부드러운 음성으로 물었다.

「인간의 기원에 관해서 뭘 알고 있지?」

뤼크레스는 고개를 다시 들고 사내의 눈을 똑바로 쳐다보다가, 마치 초등학교 어린이가 수업 시간에 배운 것을 암송하듯이 단숨에 말했다.

「인간은 원숭이에서 나왔고 원숭이는 나무에서 내려왔지요.」

「형님, 이년을 저한테 맡기십시오. 입을 열게 할 수 있는 방법이 있어요.」

꼼짝 않고 지켜보기만 하던 세 번째 사내가 나섰다.

뤼크레스는 어디 해볼 테면 해보라는 식으로 조금도 기세를 누그러뜨리지 않고 대들었다.

「어휴 무서워라! 이 봐요 용렬한 아저씨들, 그런다고 내가 겁먹을 것 같아? 당신들이 얼마나 한심한지 알기나 해? 그 원숭이 가면만 해도 한심하기 짝이 없어. 가격표가 아직 그대로 붙어 있잖아. 아, 65프랑짜리로구먼! 아마추어 냄새가 풀풀 나. 나 같은 여자를 고문하려면 프로는 못 되더라도 어느 정도 품격은 갖추려고 노력해야 되는 거 아니야? 가격표도 신경 써서 떼어 내고 65프랑짜리 원숭이 가면 대신에 살인자들의 복면이라도 뒤집어써야 되는 거 아니냐고!」

「형님, 제가 해볼까요?」

몸집이 가장 큰 사내가 재차 허락을 구했다.

뤼크레스는 에메랄드빛 눈으로 사내를 노려보았다.

「네가 나에게 무슨 짓을 하든, 고아원 신고식에 비하면 그저 어루만져 주는 것에 지나지 않을걸.」

〈형님〉이라 불리는 사내는 잠시 망설이다가 허락을 내렸다.

「좋아, 해봐. 하지만 너무 심하게 상처를 입히지는 말라고. 사람이, 그것도 여자가 고통받는 것을 보고 싶지는 않으니까.」

다른 두 사내가 얼른 그녀의 결박을 풀었다. 뤼크레스는 손발이 잠시 자유로워진 틈을 타서 가장 가까이 있던 배에 주먹을 내지르고 가장 앞으로 나와 있던 정강이를 구두 뒷굽으로 찍었다.

사내들은 재빨리 그녀를 제압하여 다시 결박한 다음 도

르래가 있는 곳으로 데려갔다. 그들은 도르래 끝에 달린 사슬에 그녀를 거꾸로 매달았다. 그녀의 긴 머리채가 바닥에 끌렸다. 뤼크레스는 결박이 조금 느슨해지도록 등뒤로 묶인 손을 계속 놀렸다.

「자, 한번 잘 생각해 봐. 아제미앙 교수의 아파트에는 뭐 하러 갔었지?」

〈형님〉이라 불리는 사내가 물었다.

「좋아요. 다 말할게요. 집집마다 돌아다니며 설문 조사를 하던 중이었어요. 〈프랑스 인들은 자기네 냉장고에 주로 무엇을 넣어 두는가?〉라는 것이 그 질문이었지요. 사람들이 문을 열어 주지 않을 때는 창문을 타고 넘어 들어가기도 했어요.」

「웃기는 소리 좀 작작 하라고, 아가씨. 계속 그렇게 너스레를 떨고 싶으면 마음대로 해봐. 하지만, 피가 머리로 쏠리게 되면 기억이 좀 맑아질 거야.」

뤼크레스는 사슬에 매달린 채 몸을 비틀었다. 피가 아래로 쏠린 탓에 생각이 혼미해지고 온몸의 감각이 둔해지는 느낌이 들기 시작했다.

「그러고 있으니까, 꼭 훈제 소시지 같구먼.」

고문자들 중의 하나가 농지거리를 했다.

바로 그때였다. 펑 하고 무엇이 폭발하는 소리와 함께 공장 안에 뿌얀 연기가 구름처럼 퍼졌다.

17. 천둥비

번개가 하늘을 가르고, 그 뒤를 이어 요란한 천둥소리
가 울리자, 무리의 구성원들은 다들 겁에 질려 꼼짝도 하
지 않는다. 그는 그 광경을 좀 더 잘 보기 위해 뒷다리로
버티며 일어선다.

구름은 점점 어두운 빛을 띠어 가더니, 연보랏빛과 은
빛이 감도는 검은색으로 변한다.

온통 검은빛으로 물들어 가는 하늘에서 하얀 나무 한
그루가 번쩍 하고 나타나 땅을 호되게 후려친다.

〈하늘은 그 무엇보다 강하다〉라고 그는 생각한다.

다른 식구들은 모두 목을 움츠린다. 그들은 겁에 질려
있다. 그러나 그는 두려워하지 않는다.

하늘은 그의 지배자이고 구름은 그의 친구이다. 하늘과
구름이 땅거죽에 붙어 다니는 목숨붙이들에게 자기들의
힘을 과시하고 있다. 빛의 나무들이 더욱 빈번하게 번쩍이
며 점점 더 요란한 소리를 낸다. 그것들이 떨어질 때마다
땅이 진동한다.

〈하늘은 이토록 아름답고 이토록 강하다〉라고 그는 생
각한다.

지그재그를 그리며 나타난 강렬한 번개 하나가 그들이
야영장으로 삼고 있는 나무를 후려친다. 나무는 물의 공격
에는 끄떡도 하지 않을 만큼 단단하지만 불의 공격을 견디
지는 못한다. 예전에도 벼락 때문에 야영중에 곤란을 겪은

적이 있었지만, 벼락이 이렇게 가까이에 떨어진 것은 처음 있는 일이다. 불이 빠르게 번져 간다. 푸른 나뭇가지들이 타면서 내는 검은 연기가 사방에 자욱하다. 모두가 기침을 하며 눈물을 흘린다. 나무 바로 옆으로 벼락이 또 한차례 떨어진다. 이번의 벼락은 나무를 가까스로 비껴 가긴 했지만, 식구 하나가 넋을 잃고 서 있던 자리에 한 무더기의 재만을 남겨 놓는다.

성기게 후드득거리던 빗줄기가 더욱 세차지고 있지만 불이 번지는 것을 막기엔 역부족이다. 노란 불길이 그들을 삼켜 버릴 기세로 높이 솟구친다. 무리의 우두머리는 적을 쫓아 버리겠다고 평소처럼 위협적인 소리를 내지른다. 그러나 불은 겁을 먹기는커녕 오히려 우두머리를 조롱하는 듯하다. 힘센 다른 수컷들이 우두머리를 도우러 간다. 그러자 불은 그들을 정면으로 덮쳐 여러 수컷의 손을 물어 버린다. 모두가 울부짖는다. 그들에게 불은 참으로 무시무시한 존재다. 그들은 적의 눈과 귀와 입이 어디에 있는지 알지 못하며, 적을 때리고 싶어도 때리지 못한다. 적이 어쩌면 그렇게 눈에 띄지 않게 움직일 수 있는지도 이해하지 못한다. 잘 보이지도 않고 다가오는 소리도 안 들리는데, 어느새 갑자기 그 거대한 짐승이 자기 앞에 와 있곤 하는 것이다.

이번에는 암컷들이 소리를 지르기 시작한다. 그러나 불은 더욱 세찬 기세로 번져 나가며 모든 것을 삼켜 시커먼 재로 바꾸어 버린다. 그들 무리는 이제 후퇴할 수밖에 없다. 우두머리는 그처럼 잘 갖추어진 야영장을 포기하기 싫어서 머뭇거린다. 그러나 이제 미련을 버려야 한다. 나무 위 곳곳에서 따다닥거리는 소리가 들린다. 조심성 없는 몇몇 어린 식구들의 몸에 불이 붙는다. 그들은 불을 꺼달라고 빽빽 울면서 마치 횃불처럼 타고 있다. 겁에 질린 새들도 허겁지겁 알을 챙겨 둥지를 버리고 떠나간다. 더욱 커진 불길이 뜨거운 이빨을 드러내며 그들을 뒤쫓는다.

사방에 매캐한 연기가 자욱하다. 그들의 콜록거리는 소리가 끊이지 않는다.

18. 매력적인 왕자

폐쇄된 공장 안에 매캐한 연기가 자욱했다.

원숭이 가면을 쓴 세 사내는 어리둥절해 하며 도르래 근처에 붙박여 있었다. 뤼크레스는 도르래에 거꾸로 매달린 채 그 광경을 지켜보았다.

「빌어먹을! 경찰이야.」

그들 중의 하나가 소리쳤다.

뤼크레스는 몸을 세워 보려고 버둥거렸다. 폭발음이 이번엔 공장 안 여기저기에서 터져 나왔다.

「조심해! 놈들이 우리에게 사격을 가하고 있어.」

납치자들은 나무 상자 더미 쪽으로 줄달음질을 놓았다. 매운 연기가 공장 안 구석구석으로 퍼져 나감에 따라 숨쉬기가 점점 더 곤란해지고 있었다. 그들은 가까스로 총을 빼어 들고는 무턱대고 앞을 향해 쏘기 시작했다.

뤼크레스는 독한 연기를 마시지 않으려고 숨을 멈추고 있다가 더 이상 견디지 못하고 심하게 콜록거렸다. 그때, 통통한 두 손이 나타나더니 그녀를 바닥으로 끌어내리고 결박을 푼 다음 얼굴에 방독면을 씌워 주었다. 그녀의 머리는 아직 띵했지만 여과된 공기를 깊이 들이마시고 나니 사물의 윤곽이 다시 구별되기 시작했다. 그녀는 고개를 들어 자기의 구원자를 바라보았다. 그 역시 방독면을 쓰고 있어 얼굴은 보이지 않았지만 분명히 그녀가 아는 사람이었다. 믿어지지 않는 일이었다.

「아니, 이지도르 선배.」

「쉿.」

그는 자기 방독면의 입부분에 집게손가락을 갖다 대며 그렇게 속삭이고는 그녀의 머리 뒤로 끈을 매어 주었다. 그런 다음 나직한 소리로 덧붙였다.

「가만히 지켜보세요. 소리 내지 말고…….」

그러나 뤼크레스는 다시 숨을 깊이 들이마시더니, 자욱한 연기를 헤치며 납치자들이 있는 쪽으로 잰걸음을 놓았다. 마침내 그녀의 독창적인 무술을 마음껏 펼쳐 보일 기회가 온 거였다.

뤼크레스는 사내 하나를 찾아내자 두 손을 심벌즈처럼 쫙 펴서 그의 두 귀를 한 번에 철썩 때렸다. 두 귀의 고실 (鼓室)에 동시에 강한 압력이 가해지는 것을 느낀 사내는 얼떨결에 무기를 놓치고 두 손으로 머리를 감쌌다.

이지도르는 바닥에 조용히 앉아서 그 광경을 관망하고 있었다.

뤼크레스는 다른 사내의 턱을 겨냥하고 오른발을 들어 돌려차기 한 방을 날렸다. 사내는 깜짝 놀라 자기도 모르는 사이에 권총을 떨구고 다친 턱을 문질렀다. 뤼크레스는 마지막으로 세 번째 사내에게로 돌진하였다. 원숭이 가면의 구멍을 통해 눈물을 흘리고 있는 그의 파란 눈이 보였다. 뤼크레스는 집게손가락과 가운뎃손가락에 힘을 주어 가차없이 그 두 눈을 동시에 찔렀다.

가면을 쓴 세 납치자들의 모습이 꼭 세 마리의 얌전한 원숭이처럼 보였다. 하나는 두 귀를 잡고 있었고, 다른 하나는 입을, 마지막 하나는 눈을 손으로 가리고 있었다.

세 사내는 가까스로 몸을 추슬러 비틀거리면서 달아났다.

뤼크레스는 사내들을 쫓아 밖으로 나갔다. 그러나 그들은 벌써 자동차 안으로 피신하여 시동을 걸고 있었다. 그녀가 미처 다가갈 새도 없이 자동차가 요란한 소리를 내며 쏜살같이 멀어져 갔다.

뤼크레스는 방독면을 벗었다.

「쳇, 물러 빠진 자식들! 싸움이 될 만하니까 도망을 치네……」

그러면서 그녀는 안에 있는 이지도르에게 소리쳤다.

「그놈들을 놓쳤어요!」

이지도르는 그녀 쪽으로 다가와 자기도 방독면을 벗었다. 뤼크레스가 그를 돌아보며 말했다.

「그건 그렇고, 왜 제가 싸우는 걸 가만히 보고만 계셨어요? 좀 도와주시지 않고.」

「혼자서도 아주 잘 하던데요, 뭘. 그런데, 무슨 무술을 하는 것 같은데, 그게 뭐요?」

「〈고아원 태권도〉예요. 태권도하고 비슷한데 훨씬 더 난폭하지요. 어떤 종류의 가격(加擊)이든 다 허용돼요. 뭐든지 다요.」

「아제미앙 교수의 아파트에서 만났다는 그 남자가 아까 그 세 놈 중에 있는 것 같던가요?」

「예. 그런 것 같아요. 가면 때문에 얼굴을 볼 수는 없었지만 말이에요. 에이, 그 중에 한 놈이라도 잡아서 이실직고하게 만들었어야 하는 건데…….」

이지도르는 호주머니에서 감초 막대 사탕을 꺼내어 입에 물고 빨기 시작했다. 그가 진지한 어조로 말했다.

「뤼크레스, 한 가지 부탁하고 싶은 게 있는데, 폭력의 악순환에 빠져 들지 말았으면 좋겠어요.」

「전 제가 하고 싶은 대로 해요. 제가 폭력의 악순환에 빠지고 싶어 하든 말든, 선배님하곤 상관없잖아요?」

그는 그녀의 어깨에 손을 얹었다.

「좋아요. 그러면 우리 얘기를 분명히 합시다. 나는 곤경에 처한 미녀를 구하러 달려오는 매력적인 왕자 노릇을 얼마든지 할 용의가 있소. 그 대신에 당신도 매력적인 공주의 역할을 조금은 해야 돼요. 그런데, 아까 그 사내들이 아무리 비열한 자들이라 해도 그들에게 그런 식으로 폭력을 쓰는 건 매력적인 공주의 역할이 아닌 것 같군요.」

「폭력을 안 쓰고 점잖게 나가면, 그런 자들이 신사적으로 나올 것 같아요?」

「노자(老子)가 말하기를, 〈누가 너에게 해악을 끼치더라도 앙갚음을 하려 들지 말라. 강가에 가만히 앉아 있으면 곧 그의 시체가 떠내려가는 것을 보게 되리라〉 했어요.」

뤼크레스는 그 말을 머릿속에서 이리저리 되작여 보다가 이렇게 되받았다.

「하지만 경우에 따라서는 그자가 빨리 강물에 떨어지도록 도와줄 수도 있어요. 그러면 시간을 벌게 되잖아요? 그건 그렇고, 매력적인 왕자님, 곤경에 처한 미인이 있는 곳을 어떻게 알고 찾아오신 거예요?」

「간단해요. 당신이 차 안에서 몸부림치는 것을 보았어요. 차를 따라갈 수가 없어서 일단 집으로 돌아가 당신이 준 명함에서 휴대폰 번호를 알아냈지요. 당신이 그것을 항상 진동으로 해놓는다고 말한 적이 있어서, 내가 전화를 걸어도 벨 소리가 나지 않으리라는 것을 알고 있었어요. 그래서 그 휴대폰이 놈들에게 들키지 않고 내 호출을 받음으로써 당신 있는 곳을 내게 알려 줄 거라고 생각했지요. 나는 아직 경찰에 친구들이 있어요. 그들에게 부탁을 해서 당신의 휴대폰에 반응한 기지국을 탐지해 내서, 휴대폰이 어느 지역에 있는가를 알아냈지요. 다행히도 이 지역에는 건물이라곤 이 폐쇄된 공장밖에 없었어요. 내 친구들은 연막 수류탄 6개와 공포 수류탄 4개와 방독면 2개를 마련해 주었지요. 물론 그 모든 일을 처리하는 데에 한 시간은 족히 걸렸어요. 게다가 나는 자동차가 없기 때문에 지하철을 타야 했어요. 그 시간에 지하철이 어떠하다는 것은 당신도 잘 알 거예요. 그건 그렇고, 놈들이 너무 심하게 굴지는 않았어요?」

뤼크레스는 결박 자국이 아직 가시지 않은 손목과 발목을 문질렀다.

「때마침 잘 오신 거예요…… 10분만 더 늦게 오셨어도 저는 아마 훨씬 더 나쁜 상태에 있었을 거예요.」

뤼크레스는 고개를 들어 이지도르의 달처럼 둥근 얼굴을 올려다보았다.

「어쨌거나 고마워요. 왜 사람들이 선배님을 〈과학부의 셜록 홈스〉라고 부르는지 이제 알 것 같아요.」

이지도르는 괜한 소리 말라는 듯 고개를 저었다.

「나를 왕년의 나와 비교하지 말았으면 좋겠어요. 셜록 홈스도 다 옛날 얘기예요. 각 시대마다 그 시대에 맞는 탐정이 있게 마련이지요. 게다가 나는 과거의 사람이 아니라 현재의 사람, 나아가서 미래의 사람이에요.」

그녀가 한숨을 쉬었다.

「여전히 그 미래에 골몰해 있군요…….」

그는 감초 막대 사탕을 더 깊숙이 밀어 넣고 나서 말했다.

「오면서 생각해 봤는데요. 어떤 점에서는 당신 생각이 옳을지도 몰라요. 과거의 잘못이 미래에 되풀이되는 것을 피하기 위해서는 과거를 잘 아는 것이 중요할 수도 있지요.」

두 사람은 포석(鋪石)이 흩어진 공장 마당을 지나 철책 사이로 난 출구 쪽으로 향했다. 뤼크레스는 동행자의 걸음을 따라잡느라고 종종걸음을 치면서 헝클어진 머리를 손으로 매만졌다.

「저의 조사를 도와주겠다는 뜻인가요?」

「갑시다. 보여 주고 싶은 데가 있어요. 내가 아직 아무에게도 공개하지 않은 장소예요.」

19. 동굴

나무 꼭대기가 불타고 있다. 나무 위쪽이 온통 불길에 휩싸여 있다. 나뭇잎들이 노란빛을 내며 따다닥거린다. 새들은 높은 가지에 있던 둥지를 버리고 모두 떠났다.

그들 무리도 나무를 버리고 땅으로 내려갈 수밖에 없다. 이제 새로운 야영지를 찾아야 한다.

비가 세차게 퍼붓는다. 온몸의 털이 젖어 있다. 그들은 등을 구부린 채 허허벌판으로 나아간다. 불행 중 다행인 것은 비 때문에 사나운 짐승들이 어딘가로 숨어 버렸다는 것이다. 짐승들도 털이 젖으면 몸이 무거워지기 때문에 만만한 사냥감이 되기는 마찬가지다.

앞장서 가던 우두머리는 전체의 움직임에 제대로 보조

를 맞추지 못하는 자들의 머리를 세게 때리면서 빨리 걸으라고 재촉한다. 두려움을 몰아내는 가장 좋은 방법은 다른 두려움을 만들어 내는 것이다. 우두머리는 이를 드러내고 으르렁거리다가 힘없는 자들과 천덕꾸러기들을 서슴없이 물어뜯는다. 무리의 단결을 위해서는 어쩔 수 없다고 생각하는 것이다.

모두가 고분고분하게 걸음을 재촉한다. 앞에 커다란 나무가 한 그루 보인다. 새로운 야영장이 될 수 있을 법한 나무다. 그러나 그날은 참으로 운수가 사나운 날이다. 그들이 막 나뭇가지로 기어오르려고 하는 찰나에 벼락이 다시 떨어져 나무를 쓰러뜨린다.

그는 나무에 자꾸 번개가 떨어지는 이유가 궁금해진다. 나무가 너무 키가 커서 번개를 끌어들이는 것일까? 아니면 이것은 그들더러 무언가를 하거나 하지 말라는 표시가 아닐까? 그는 꼭 해야 할 일과 하지 말아야 할 일을 가르쳐 주는 표시가 있다고 믿는다. 그들이 머물고 있는 곳에 벼락이 떨어지는 건, 그곳을 떠나라는 뜻이다. 벼락이 이 나무에 또 떨어지는 건, 이 나무에도 자리를 잡으면 안 된다는 뜻이다.

암컷 하나가 손가락으로 멀리 앞을 가리켜 모두의 주의를 끈다. 암컷이 가리킨 곳에는 구멍이 하나 뚫린 거대한 바위가 있다.

동굴이다.

일반적으로 그들 무리는 동굴에 접근하지 않는다. 동

굴에는 그들을 잡아먹는 커다란 짐승들이 살고 있기가 십상이기 때문이다. 그러나 비가 너무 차갑고 불을 다시 만나게 될까 두려워서 그들은 모두 암컷이 가리킨 곳으로 간다.

놀랍게도 동굴의 입구를 막고 있는 짐승이 없다. 게다가 동굴은 그들 모두가 들어갈 수 있을 만큼 깊어 보인다. 그들은 입구에 붙박인 채 땅에 꽂히는 빗줄기와 벼락에 맞아 불타는 나무들을 하염없이 바라본다.

그는 구름이 땅거죽에 붙어사는 목숨붙이들에게 화를 내고 있는 거라고 생각한다.

〈어쩌면 자기 종에 희망을 안겨 줄 하이에나를 죽이지 말았어야 했는지도 몰라.〉

그들은 잔뜩 움츠린 몸으로 서로 기대어 거대한 하나의 덩어리를 이룬다. 그럼으로써 불안과 추위에 떨리는 몸을 서로 덥혀 주는 것이다.

빗발은 여전히 그칠 기미를 보이지 않는다.

멀리에 또 한 그루의 나무가 벼락에 맞아 불타고 있다.

20. 미래의 나무

그건 〈미래의 나무〉였다.

이지도르 카첸버그가 뤼크레스 넴로드를 데려간 곳은 그의 저수탑 아래층에 꾸며 놓은 작은 방이었다. 방에 있는 거라곤 의자 두 개와 받침대 위에 올려 놓은 커다란 화이트보드, 그리고 그 판 가두리에 놓인 수성 매직펜이 전부였다.

뤼크레스는 화이트보드 앞으로 다가가 거기에 그려진 거대한 그림을 찬찬히 살펴보았다. 〈미래의 나무〉라는 제목이 맨 위에 적혀 있고, 그 아래로 이리저리 뻗어 나간 나뭇가지들과 무성한 잎들이 그려져 있었다.

이지도르가 말문을 열었다.

「오늘날의 정치가들은 정책을 결정함에 있어 아주 단기적인 관점에서만 생각합니다. 다음 선거를 염두에 두면서 기껏해야 5년에서 7년 정도를 내다볼 뿐이지요. 그러나 그런 단기적인 안목으로는 우리의 미래를 올바르게 설계할 수가 없어요. 백 년, 천 년, 아니 만 년 앞을 내다보며 심사숙고하는 사람들이 나와야 해요. 우리 후손들에게 어떤 지구를 물려줄 것인가를 생각해야 한다는 것이지요.」

「사실 그래요. 요즈음의 정치는 최선의 정책보다는 가장 덜 나쁜 정책을 추구하고 있어요. 당장 눈앞에 닥친 파국을 피하는 데에만 급급하지요.」

「당연히 그럴 수밖에 없어요. 정치가들은 민심의 향배를 즉각적으로 드러내는 여론 조사에 너무 의존하고 있어요. 그러다 보니 장기적 전망이 제대로 설 수가 없지요.」

뤼크레스는 작고 딱딱한 두 의자 중의 하나를 골라 앉으며 한숨을 내쉬었다.

「미래를 내다보는 건 좋지만, 빛나는 미래를 약속했던

대부분의 이데올로기들이 실패로 끝났다는 점을 생각하셔야 할 거예요. 사람들은 이제 거창한 계획 앞에서는 신중한 태도를 보여요. 그건 당연한 일이고요.」

이지도르도 남은 의자에 육중한 몸을 옹색하게 걸치며 되받았다.

「하지만 인류가 나아가는 데에 실수는 피할 수가 없어요. 공산주의나 사회주의나 자유주의를 아무리 비판한다 할지라도, 그것들이 나름대로 인류의 나아갈 길을 제시하려 했다는 점은 인정해야 돼요. 설령 그 이데올로기들이 실패로 끝났다 해도, 계속 다른 것들을 제시할 필요가 있어요. 많으면 많을수록 좋아요. 선택의 폭이 그만큼 넓어지는 것이니까요. 과거에 잘못을 범했다 해서 미래를 위해 제안하는 것을 포기하면 안 되죠. 오늘날 우리가 선택할 수 있는 게 무엇인가를 생각해 봐요. 고작해야 부동파(不動派)와 복고파(復古派) 중에서 하나를 선택해야 하는 상황이에요.」

「보수주의 아니면 반동주의라는 뜻인가요?」

「이름이야 어찌되었든, 〈움직이지 않는 것〉과 〈되돌아가는 것〉말고는 더 이상 아무것도 제시되고 있지 않다는 거예요. 너나할것없이 한 발 앞으로 나아가는 것에 겁을 먹고 있어요. 그나마 미래를 내다보며 인간 사회의 다른 가능성들을 예견하는 사람들은 공상 과학 작가들밖에 없어요. 안타까운 일이지요.」

뤼크레스는 그가 그린 나무를 더 가까이에서 보려고 자

리에서 일어섰다.

「그래서 선배님은 이런 나무를 상상하신 거군요.」

「그래요. 미래의 모든 개연성을 고려하여 우리가 나아
갈 길을 보여 주기 위한 그림이에요.」

「전에 이야기하신 책에 나온다는 그 〈최소 폭력의 길〉이
라는 개념과 관계가 있나요?」

「그렇다고 볼 수 있지요. 미래에 나타날 수 있는 모든
경우를 여기에 적어 나감으로써 장기적으로 우리로 하여
금 현재보다 더 좋은 미래를 갖게 할 수 있는 길을 찾아내
려는 것이에요.」

그는 그녀 옆으로 와서 손가락으로 그림 속의 나뭇잎들
을 가리켰다. 각 잎새마다 미래의 가정이 적혀 있었다.
〈만일 우리가 감옥 제도를 민영화한다면〉, 〈만일 우리가
사회 보장 제도를 철폐한다면〉, 〈만일 우리가 최저 생계
보조금을 인상한다면〉 등과 같은 비교적 온건한 가정이
있는가 하면, 〈만일 경쟁적인 경제 블록 간에 전쟁이 발발
한다면〉이나 〈만일 우리가 독재 체제로 되돌아간다면〉, 혹
은 〈만일 우리가 정부들을 폐지한다면〉 하는 식의 더 급진
적인 가정들도 있었다. 더러는 일견 대단히 유토피아적으
로 보이는 것들도 있었다. 〈만일 우리가 다른 행성들을 식
민지로 만든다면〉, 〈만일 우리가 전세계적으로 출산율을
통제할 수 있다면〉, 〈만일 우리가 경제 성장을 멈추게 한
다면〉 등처럼.

뤼크레스는 자기 옆에 있는 공처럼 둥근 몸집의 남자를

아까와는 다른 눈으로 여겨보았다. 단지 한 개인이 감히 인류 전체의 미래를 그런 식으로 그려 보려 한다는 것이 그저 놀랍기만 했다. 한순간 그를 비웃고 싶은 마음도 들었지만, 그녀는 이내 생각을 바꾸었다. 한 사람이 오랫동안 생각하고 공을 들여 만든 것이 실없는 농담 한 마디에 풍비박산이 날 수도 있는 거였다. 그 모든 작업은 존중을 받아 마땅했다. 뤼크레스는 그의 작업에 대해서 더 많은 것을 알고자 노력했다.

「이 미래의 나무를 여기에 간직하고 있으면, 아무도 이것을 이용할 수 없잖아요?」

그가 고개를 끄덕였다.

「사실이에요. 하지만 현재로서는 내 썩 마음에 들지는 않아요. 다 준비가 되면 보여 줄 거예요.」

「누구에게요?」

「모든 사람들에게요. 언젠가는 나의 이 나무 덕분에 마침내 정치가들이 용기를 내어 이렇게 말하게 될지도 모르지요. 〈잘 보십시오. 이것이 바로 제가 제안하는 우리의 나아갈 길입니다. 이리로 해서 여기를 거치고 요리로 가면 2백 년쯤 지나 여기에 도달하게 됩니다. 비록 더러는 고통스러운 과도기가 있겠지만, 그 모든 것을 지나고 나면 우리의 자손들은 이 행성에서 더할 나위 없이 행복한 삶을 살게 될 것입니다.〉」

그는 시가 모양으로 된 캐러멜을 꺼내어 씹었다.

「여기에서 문제삼고 있는 것은 온 인류의 운명, 나아가서는 지구에 사는 모든 것의 운명입니다. 이제는 유권자나 소비자로서가 아니라 훨씬 더 광범위한 전체에 속한 살아 있는 존재로서 사유할 때입니다. 그래요, 나는 장차 우리가 우리를 둘러싸고 있는 세계와 조화를 이루며 살기를 바래요. 〈호메오스타시스〉, 즉 생체 내부와 외부 환경 사이에 평형이 이루어지듯이, 우리 인류와 지상에 존재하는 다른 생명 형태들 사이에도 평형이 이루어지기를 바란다는 거지요.」

「단지 그거면 되는 건가요?」

「그래요. 그러면 우리는 지구의 다른 모든 생명들과 대화를 나눌 수 있게 될 거예요. 모든 생명이 우리의 파트너가 될 것이고, 우리는 그들과 더불어 더 좋은 세계를 건설하게 되겠지요. 장기적으로 볼 때, 우리에게 그보다 더 나은 미래가 올 수 있겠어요?」

「하긴 그렇겠군요. 그런데, 단기적으로 볼 때, 그리고 지금 당장에 이 모든 작업이 선배님에게 무슨 도움이 되지요?」

「세상사의 주된 흐름을 파악하는 데 도움을 줘요. 정치, 경제, 사회, 과학 기술, 문화 등 가능한 한 모든 영역의 모든 요인들을 참작하면서, 그것들이 전체적으로 서로 어떻게 연결되는가를 확인하는 데 유용하지요. 이 그림을 통해서 나는 경기의 순환을 밝혀 내기도 하고, 국제 원자재 가격의 추이를 읽어 내기도 해요. 또 이것을 이용하여 주가 변동을 예측하고 주식에 투자하기도 하는데, 예측이 잘 맞아뗠어져요. 증권 거래는 이제 나의 주수입원이에요. 이 그림을 가지고 생활비를 버는 셈이지요. 그게 바로 이 나무가 쓸 만하다는 명백하고 실제적인 증거가 아닌가요? 사실 주간지 기자의 얼마 안 되는 월급을 가지고 이런 큰 건물을 마련할 수는 없었을 거예요.」

뤼크레스는 줄곧 나무 그림에 시선을 붙박고 있었다.

그의 아이 같은 얼굴에 환한 미소가 번졌다. 그가 말을 이었다.

「물론 나는 노스트라다무스를 자처하는 게 아니에요. 나는 미래를 예언한다고 주장하지 않아요. 단지 우리 사회의 논리적인 발전 경로를 예측하려고 노력하는 것이지요. 자랑처럼 들릴지 모르지만, 현재까지는 내가 생각했던 것보다 잘 맞아떨어지고 있어요.」

뤼크레스는 나무의 가장 가느다란 가지들을 바라보며 물었다.

「지정학적인 측면에서는 우리 세계에 어떤 변화가 있을 거라고 보세요?」

「권력은 동쪽에서 서쪽으로 옮겨갑니다. 처음엔 세계의 중심이 인도에 있었어요. 내가 보기에 인류의 문명은 지금으로부터 5천 년 전에 인도에서 시작되었어요. 그 문명은 태양의 행로를 따라 서서히 서쪽으로 이동합니다. 메소포타미아 인들과 이집트 인들이 인도인들의 뒤를 이어 권력의 정점에 올랐어요. 그런 다음 더 서쪽으로 가서 그리스 문명과 로마 문명이 나타났지요. 문명의 중심축은 다시 서

쪽으로 이동하여 중부 유럽의 제국을 거치고 네덜란드 · 프랑스 · 스페인을 잇는 서유럽 경계선을 넘어 영국에 한동안 머물렀지요. 그러다가 다시 서쪽으로 대서양을 건너 미국으로 갔어요. 권력은 이제 아메리카 대륙을 횡단하여 로스앤젤레스에 다다랐는데, 머지않아 태평양을 건너 일본과 중국과 한국이 있는 동북아시아로 이동할 거예요. 그 다음에는 다시 인도로 돌아가겠지요. 대륙과 국가들 사이를 오가는 권력 이동의 역사는 대충 그런 식으로 요약될 수 있어요.」

「다른 문제, 이를테면 프랑스의 실업 문제는 어떻게 될까요?」

이지도르는 심호흡으로 숨을 한번 가다듬고 나서 대답했다.

「현대 서구 사회만 놓고 보면, 당연히 미래에는 더 이상 실업 문제가 없을 거라고 봐요. 전체 인구 중에서 10퍼센트는 창조적인 직업에 종사하며 아주 많은 일을 할 것이고, 나머지 90퍼센트는 전혀 일을 하지 않거나 하더라도 비창조적인 집행자로서 산발적으로 일을 할 거예요. 창조적인 일을 하는 10퍼센트는 주로 개념을 다루는 사람들일 것입니다. 그들은 일에 열중하여 거의 모든 시간을 자기들 임무를 수행하는 데에 바칠 것이고 많은 돈을 벌 거예요. 하지만 돈 쓸 시간은 별로 없겠지요.」

「그럼 나머지 사람들은요?」

「나머지 사람들이요? 비창조적인 일을 하는 90퍼센트

120

는 직업을 자주 바꾸고 돈은 조금밖에 벌지 못하고 자기들의 한시적인 일에 별로 관심을 갖지 않는 대신, 여가를 아주 많이 갖게 될 거예요. 그 90퍼센트는 자기들의 직업에서 자아를 실현하기보다는 레저에서 삶의 의미를 찾을 겁니다. 자원 봉사 단체의 활동이 대단히 활발해지리라고 생각해요. 예를 들어 임시 사무 직원으로 일하는 한 아가씨가 있다고 합시다. 그녀는 때로는 베이비시터를 하기도 하고 영화에서 작은 역할을 맡아 촬영을 하기도 합니다. 그러면서도 스스로를 지역 환경 단체의 회원으로 내세우게 된다는 것이지요.」

「창조적인 일을 하는 10퍼센트는 주로 〈개념을 다루는 사람들〉이 될 거라고 하셨는데, 왜 그렇게 된다는 건지 모르겠군요.」

「아, 그것은요, 미래에는 특별한 발명이나 발견, 혁신이 더 이상 없을 것이기 때문에 그래요. 모든 과학 기술이 전세계에 동시에 알려지기 때문에, 사람들은 어디에서나 똑같은 차, 똑같은 세제, 똑같은 컴퓨터를 갖게 돼요. 그렇다면 사람들로 하여금 저것 대신에 이것을 사게 만드는 것은 무엇일까요? 겉모양과 색깔, 상품의 이름, 상표에 적힌 진술, 광고 문구, 판매 방식 등에서 〈조금 더 낫다〉는 점이 시장의 판도를 좌우하게 되겠지요.」

「그렇게 10퍼센트가 시장을 좌지우지하게 된다면, 비창조적인 일을 하는 나머지 사람들에게는 너무 불공평하지 않나요?」

「그건 교육이라고 하는 또 다른 주제와 관련이 있어요. 내가 아주 중요하게 생각하는 주제이지요. 장기적으로 보아서 학교의 역할에 희망을 걸 수밖에 없습니다. 학교가 각 개인으로 하여금 저마다의 창조적 소질을 계발할 수 있도록 해주어야지요.」

「누구나 다 창조적인 재능을 타고나는 건 아니잖아요!」

「왜요, 누구에게나 타고난 재능이 있어요. 하지만 누구나 다 자기 재능을 발견하고 발달시키는 건 아니지요. 학교가 그것을 도와주어야 합니다. 교육의 목표를 학생들 각자의 특별한 재능을 계발하는 데에 두고 더욱 다양한 교육을 제공해야죠. 중요한 것은 〈공부〉가 아니라, 하늘이 자기에게 내린 것을 잘 발전시켜서 자기의 남다른 점과 특별한 재능이 다른 사람들에게 선물이 될 수 있게 하는 것이죠. 억지로 공부를 하기보다는 자기가 무엇을 위해 태어났는지를 알고 그 일에 즐겁게 전념할 수 있어야 한다는 거예요.」

뤼크레스는 이지도르의 논리 전개에 어떤 결함이 있지 않나 생각하다가 다시 물었다.

「그럼 사상의 측면에서 본 인류의 미래는 어떤가요?」

「언젠가는 인간이 영적인 존재가 될 겁니다. 성서는 이미 오래전부터 그 점을 예고하고 있어요. 십계명을 보세요. 유대 교는 십계명을 통해 무엇을 명령하거나 심판하는 것이 아니라, 〈너희는 살인을 하지 않을지라〉 하고 미래 시제로 말하고 있어요. 〈너희는 살인을 하면 안 된다. 살인을 하면 벌을 받을 것이다〉라는 뜻이 아니라, 〈언젠가 너희는 살인을 하지 않게 될 것이다〉, 즉 〈언젠가 너희는 왜 살인이 아무 소용이 없는지를 깨닫게 될 것이다〉라는 뜻이라는 거지요. 다른 계명도 마찬가지예요. 언젠가 너희는 도둑질이, 거짓말이 왜 아무 소용이 없는지를 깨닫게 될 것이다라고 말하고 있는 거예요.」

뤼크레스는 미래의 나무를 다시 골똘히 바라보다가 물었다.

「왜 이 일에 이토록 많은 정성을 쏟고 계시죠?」

그는 빙그레 웃으며 대답했다.

「그것도 다 이기심의 발로이죠. 번뇌가 없는 사람들에 둘러싸여 사는 것이 나에게 이익이 되기 때문이에요. 사람들은 자기들이 행복하면 남도 평화롭게 살도록 내버려 두죠. 따라서 나 이지도르 카첸버그가 편안하게 살려면 온 인류와 온 세상이 똑같이 편안해야 돼요. 나는 인류와 호메오스타시스를 이루며 살고 싶고, 인류가 우주와 호메오스타시스를 이루며 살기를 바래요. 자, 이제 날 따라와요, 뤼크레스. 새로운 임무가 우리를 기다리고 있어요.」

그가 그녀를 데려간 곳은 아래층의 대부분을 차지하는 원뿔꼴의 커다란 방이었다. 그는 그 방의 벽장에서 또 다른 화이트보드를 꺼냈다. 뤼크레스가 작은 방에서 보았던 것과 똑같이 생긴 판이었다. 그는 책 더미 위에 그것을 올려 놓더니, 맨 위에다 빨간 수성 매직펜으로 〈과거의 나무〉라고 썼다.

언제 준비했는지, 이지도르는 샴페인 한 병과 가느다란 술잔 두 개를 마치 마술사처럼 꺼내 놓았다.

「〈과거의 나무〉를 그리기 시작하는 이 순간을 축하합시다.」

그들은 술잔을 서로 부딪쳐 건배를 하고 샴페인을 마셨다. 그러고 나자 이지도르는 정신을 집중하여 나무를 그리기 시작했다. 그는 기억을 더듬어 과거의 큰 사건들과 주요한 전기(轉機)들을 생각해 낸 다음 그것들을 나무 줄기와 가지에 적어 나갔다. 발명, 탐험, 왕조, 제국, 전쟁, 민중 운동, 혁명, 위기, 사회 운동 등 어느 것 하나 빠뜨리지 않으려고 애를 썼다.

이지도르는 〈지금〉이라고 쓴 지점에서 출발하여 최근 10년과 금세기를 거쳐 이전의 세기로 내려갔다.

한 시간 남짓 가지와 잎을 그리고 나자, 그는 약간 지친 기색을 보이며 손으로 이마를 쓸었다. 뤼크레스는 한 마디도 하지 않고 경탄 어린 눈길로 그의 작업을 지켜보았다. 과거의 나무가 위에서 아래로 뻗어 나가고 있었다. 마치 어떤 식물의 뿌리가 뻗어 내려가는 광경을 저속도 촬영 화면으로 보고 있는 듯한 기분이었다.

이지도르가 자기의 작품을 바라보며 말했다.

「물론 태초의 신비는 남아 있어요. 〈언제〉 그리고 〈왜〉 최초의 인간이 나타났는가는 물음표로 남겨 둘 수밖에 없군요.」

그는 4백만 년 전에서 2백만 년 전까지에 해당하는 부분에 파란 수성 매직펜으로 물음표를 찍었다.

「아제미앙 교수는 십중팔구 그것을 알고 있었을 거예요.」

뤼크레스의 말에 이지도르는 나무 아래의 빈자리를 골똘히 바라보았다.

「그렇다면, 우선은 그의 아파트를 철저히 수색하는 게 최선이겠군요.」

「제가 벌써 했는데, 별로 도움이 되지 않았어요.」

이지도르는 매직펜의 뚜껑을 닫아 나무 필통에 가지런하게 넣고 나서 말했다.

「누군가 범죄 현장을 잿더미로 만들어 버리려는 자가 있었다는 것은 거기 어딘가에 사람들에게 알리고 싶지 않은 정보가 있다는 뜻이지요.」

21. 동굴 속에서

그들 무리는 비를 피할 수 있게 된 것을 다행스럽게 여기며 빗줄기를 마냥 바라보고 있다. 그 동굴에서 자기들을 공격하기 위해 뛰쳐나온 짐승이 아직 없었다는 사실이 그들의 용기를 북돋운다. 동굴에는 아무도 살고 있지 않는 듯하다. 어린 식구들은 동굴의 나머지 부분을 탐험하고 싶어한다. 그러나 부모들은 너무 지쳐 있는 탓에 그들을 만류한다. 그러자 젊은 수컷들이 무료하기도 하고 궁금하기도 해서 동굴 속에 무엇이 있는지 알아보러 가기로 결정한다.

그들은 살금살금 안쪽으로 나아간다.

그들이 가장 먼저 찾아낸 것은 재칼의 똥이다.

더 안으로 들어가자 하이에나의 똥이 보인다.

그들은 미로 속으로 더 깊숙이 들어간다. 그 어름에는 바깥의 빛이 거의 미치지 않는다.

그는 동굴 입구에 남아 있다. 뭔가 이상한 일이 벌어지고 있다는 막연한 느낌이 들기 시작한다.

피 비린내가 나는 듯하다. 싸움이 있을 조짐이다.

22. 범죄 현장

왁스 냄새와 자벨 수(水)[9] 냄새가 진동하고 있었다.

건물의 청소부가 현관의 마룻바닥에 왁스칠을 해서 반들반들하게 윤을 내놓았다. 이지도르 카첸버그는 현관 벽에 나란히 붙어 있는 우편함들을 살펴보다가, 뤼크레스 넴로드에게 다용도 접칼로 곁쇠질을 해서 아제미앙 교수의 우편함을 열어 보라고 부탁했다.

「뭐 하려고요?」

「그가 죽은 날짜를 확인해 보려고요. 우체국 소인을 검사해 보면 어느 날부터 아제미앙 교수가 우편물을 수거해

---

9) 차아염소산염과 염화칼륨의 수용액. 표백제와 소독제로 사용됨.

가지 않았는지 알 수 있잖아요.」

그녀는 그가 시킨 대로 했다.

그는 편지 다발을 꺼내어 살펴보았다. 가장 오래된 소인은 아제미앙 교수의 시체가 발견되기 하루 전날에 찍힌 것이었다. 그렇다면, 가정부가 그의 시체를 발견한 것은 범죄가 있은 다음날임이 분명했다.

그들은 아제미앙 교수의 아파트로 올라갔다. 현관문이 잠겨 있지 않았으므로 그들은 아무런 어려움 없이 안으로 들어갔다. 천장 귀퉁이에 벌써 거미들이 줄을 쳐놓고 있었다. 뤼크레스는 이지도르를 고인의 서재로 데려갔다.

그녀는 원숭이의 얼굴을 그려 놓은 그림들을 다시 한번 찬찬히 살펴보았다. 문득 한 가지 생각이 떠올랐다. 액자 뒤에 무엇이 숨겨져 있을지도 모른다는 생각이 든 거였다. 그녀는 액자들을 하나씩하나씩 들춰보다가, 작은 물고기가 어미 물고기에게 〈가장 먼저 물 밖으로 나간 자들은 누구였어요?〉라고 묻는 만화의 액자 뒤에서 자기가 찾고 있던 것을 발견했다. 그것은 암호 자물쇠가 달린 벽금고였다. 뤼크레스는 즉시 작은 톱니바퀴 세 개로 이루어진 그 암호 자물쇠를 조작하기 시작했다.

그때, 이지도르가 천장에 달린 등을 모두 켰다.

「미쳤어요? 들키면 어쩌려고 그래요? 어서 불을 끄세요.」

「무슨 말씀을. 나는 어둠침침한 곳보다는 환한 곳에서 조사하는 걸 더 좋아해요. 어쨌거나 경찰은 다시 오지 않을 거요. 이웃 사람들도 걱정할 게 없어요. 그들은 너무 겁이 많아서 이상한 소리가 나거나 수상쩍은 빛이 새어 나가도 나 몰라라 할 테니까.」

「원숭이 가면을 쓴 그 남자들은 어떡하고요?」

「그자들도 당분간은 다시 오지 않을 거요.」

이지도르는 전등을 끄기는커녕, 한술 더 떠서 하이파이 오디오까지 켜버렸다. 피그미 족의 다성곡이 방 안에 울려 퍼지고 있었다. 그는 미니 바를 뒤져서 코냑 한 병을 가져왔다.

암호 자물쇠와 씨름하고 있던 뤼크레스가 볼멘소리를 했다.

「보아하니, 일하실 때는 편한 걸 되게 밝히시는군요. 그러고 있지 말고, 이 금고 여는 거나 도와주시지 그래요? 여기에 틀림없이 사건의 열쇠가 들어 있을 거예요.」

「혼자서도 아주 잘 해낼 텐데 뭘 그래요.」

그는 서가 앞을 왔다갔다하다가 책 한 권을 빼어 들고 안락의자에 편하게 자리를 잡더니 책장을 훌렁훌렁 넘기며 훑어보았다.

「내가 놀고 있다고 생각하지 마세요. 피살자가 죽기 전의 분위기와 심리 상태를 느껴 보고 싶어서 이러는 거예요.」

「그래서 뭐 좀 느끼셨어요? 죽기 전의 아제미앙 교수가 어떠했지요?」

「지금 말할 수 있는 것은 그가 코냑과 추리 소설에 정통한 사람이었다는 거예요. 과학자들 중에는 추리 문학을 좋아하는 사람들이 종종 있어요. 추리 문학이 잘 짜여진 플롯에 바탕을 두고 있기 때문이지요. 그러나 누보로망[10] 계열의 문학을 좋아하는 과학자는 거의 없어요. 그런 문학은 대개 소설적인 요소가 다소 가미된 자서전에서 헤어나지 못하고 있거든요. 오늘날의 우리 작가들은 자기들이 최초의 이야기꾼들의 후예라는 사실을 잊고 있는 것 같아요. 최초의 이야기꾼들이 누군지 알아요? 불가에 둘러앉아 본능적으로 그날의 사냥에서 있었던 일을 이야기하고 동료들의 용감한 행동을 칭송할 줄 알았던 동굴의 사람들이에요. 그것이 바로 모든 소설의 기원이지요.」

뤼크레스는 분홍빛 혀를 빼문 채 여전히 암호 자물쇠와 씨름하고 있었다.

「아, 그러니까 선배님도 과거와 단절되면 길을 잃고 헤매게 된다는 점을 인정하고 있는 셈이군요. 소설을 쓸 때도 그 기원을 알고 쓰는 게 낫다는 거지요?」

이지도르는 몇 권의 책을 더 훑어보다가, 갑자기 무슨 생각이 떠올랐는지, 책상 위에 있던 필통을 집어 들었다. 그러더니 거기에서 고무 지우개를 하나 꺼내어 메모철 밑에 받쳤다.

뤼크레스가 한 쪽 귀를 금고에 댄 채 물었다.

---

10) *nouveau roman*. 2차 세계 대전 이후 프랑스에서 일어난 새로운 경향의 소설 또는 그 유파. 이야기의 줄거리나 주인공의 부정(不定), 주관적 시점의 설정, 심층 심리에의 하강, 복잡한 형식의 추구 등이 주된 특징으로 꼽힌다.

「그건 또 뭐예요? 지금이 아이들 장난할 때예요? 나이가 그쯤 드셨으면 학용품 가지고 놀 때는 지났을 텐데.」

「알아냈어요.」

「뭘 알아냈다는 거예요?」

「단언하기는 아직 이르지만, 아제미앙 교수 살인 사건의 전모를 거의 알아낸 것 같아요.」

그 말에 뤼크레스는 자기의 일을 잠시 제쳐놓고 그의 얼굴을 올려다보았다.

「벌써요?」

「세 사람이 아제미앙 교수가 발견한 미싱 링크에 대해서 알고 있어요. 아제미앙 교수는 그 세 사람을 모두 믿었는데, 그 중의 하나가 그를 죽인 거예요.」

뤼크레스는 눈을 휘둥그렇게 뜨며 물었다.

「아니, 그걸 어떻게 아셨어요?」

「콤팩트 가지고 있지요? 그것 좀 줘봐요.」

그녀는 더 이상 묻지 않고 그의 말에 따랐다.

그는 분첩을 사용하여 메모철의 표면 전체에 분가루를 발랐다. 그런 다음, 입김을 살살 불어서 분가루를 양옆으로 날려보냈다. 그러자 메모지에 새겨진 볼펜 자국에 들어갔던 분가루만 남았다. 뤼크레스는 메모철에 바싹 다가갔다. 거기에 나타난 글자들을 분명하게 알아볼 수 있었다. 세 사람의 이름이 먼저 눈에 띄었다. 샌더슨 교수, 콩라드 교수, 반 리스베트 박사.

그 아래에는 이런 문장이 나타나 있었다. 〈클럽 ≪우리는 어디에서 왔는가?≫는 당장 나에게 지지를 보내야 마땅하다. 내가 이 비밀을 만천하에 공개하기 위해서는 자네들 세 사람의 도움이 필요하다. 적당한 시간에 내가 자네들에게 연락을 할 것이다. 그러면 자네들은 반드시 내 부탁을 들어주어야 한다.〉

23. 동굴 속으로 더욱 깊숙이

이제 무리 전체가 바위 동굴 속으로 천천히 들어간다. 나이 많은 식구들이 젊은 식구들을 뒤따라 들어가기로 결정한 것이다. 하이에나의 배설물 다음에 그들이 찾아낸 것은 사자의 똥이다. 그쯤에서 그들은 발걸음을 늦춘다. 이미 커다란 짐승들이 그들보다 먼저 이 동굴을 거쳐갔다. 그 짐승들은 저희의 자취만을 남기고, 어떤 알 수 없는 이유로 여기에 머물지 않고 떠났다.

그렇다면, 사자가 겁을 먹고 달아날 만큼 무시무시한 또 다른 동물이 있는 걸까?

어딘가에 위험이 도사리고 있다는 것을 모두가 느끼고 있다. 그럼에도 그들은 계속 나아간다. 그때 갑자기 이상한 소리가 들려 온다. 으르렁거림을 한껏 억누르고 있는 듯한 소리다. 그들은 그게 지하수 흐르는 소리겠거니 하고 생각한다. 만일 이 동굴이 비어 있고, 지하수까지 흐르고 있다면, 이보다 더한 행운이 없다. 이번에야말로 정말 좋

은 곳에 자리를 잡겠구나 하는 생각에 모두의 가슴이 설렌
다. 임신한 암컷들은 벌써부터 어린것들을 안전하게 놓아
둘 만한 장소를 점찍어 두고 있다. 어떤 수컷들은 자기들
맘에 드는 장소를 표시하기 위해 몰래 오줌을 눈다.

그러나 물소리이기를 바랐던 그 소리가 더 이상 들리지
않는다. 그렇다면 그것은 지하수 흐르는 소리가 아니다.

무리의 우두머리는 의문의 뜻이 담긴 으르렁 소리를
낸다.

그들은 계속 안으로 들어간다. 동굴 안은 갈수록 어두
워지고 넓어진다. 이제 그들은 칠흑 같은 어둠 속에 있다.
하지만 그들은 후각과 청각이 잘 발달해 있기 때문에 동굴
벽의 생김새를 짐작할 수 있고 동굴에 어떤 짐승이 살고
있다면 그 짐승도 알아볼 수 있을 것이다.

다시 이상한 소리가 들리기 시작한다.

그에 답하여 우두머리가 이번엔 좀 더 힘이 들어간 으
르렁 소리를 낸다. 적의 기세에 눌리지 않으려는 것이다.

그들의 발에 냄새가 아주 독한 배설물이 밟힌다. 도대
체 어떤 동물이 그런 고약한 똥을 눌 수 있는지 짐작이 가
지 않는다. 그러나 모두가 맛을 보고 내린 결론은 이러하
다. 그 배설물은 어떤 육식 동물에게서 나온 것이다. 그것
도 먹이사슬에서 아주 우월한 지위를 차지하고 있는 육식
동물에게서 나온 것이다.

그 배설물 속에는 어미 사자의 뼈도 들어 있다. 무리의
구성원 모두에게 한차례의 전율이 스치고 지나간다. 그들

은 사자가 모든 포식자들의 꼭대기에 있다고 늘 믿고 있었던 것이다…….

암컷들은 되돌아가기를 권한다. 우두머리가 다시 으르렁댄다. 겁쟁이들은 싸움에서 이길 수 없다는 뜻을 알리려는 것이다. 그들은 다시 앞으로 나아간다. 한 식구가 사자의 가슴뼈에 발이 걸려 비틀거린다.

다시 이상한 소리가 들려 온다. 깊은 숨소리 같다.

어린 식구들이 발걸음을 늦춘다. 암컷들도 더 이상 앞으로 나아가고 싶어 하지 않는다. 힘센 수컷들은 그렇게 쉽게 포기하기를 거부한다. 힘없는 수컷들은 암컷들 같은 겁쟁이로 보이고 싶지 않아서 소리를 지른다. 그러나 잔뜩 주눅이 든 그들의 외침은 그다지 크지 않다. 어딘가에 웅크리고 있는 괴물에게 겁을 주기보다는 어서 나오라고 재촉하는 듯하다.

바로 그때 괴물이 드디어 나타났다.

순식간에 두 식구가 죽음을 맞는다. 그들의 살덩어리가 어둠 속을 날아간다. 그들을 박살내기 위해 앙 다무는 턱뼈의 억센 소리만이 들릴 뿐이다.

괴물의 정체를 알 수가 없다. 그러나 아주 큰 놈인 것만은 분명하다.

24. 증기

이지도르 카첸버그는 책상 위에 있는 전등을 켜서 메모철의 종이를 비추어 보았다.

「그러니까 〈우리는 어디에서 왔는가?〉라는 이름의 클럽이 있는 거예요. 인류의 기원에 관해서 연구하는 사람들로 구성된 클럽이에요. 아제미앙 교수는 도움을 청하기 위해 그 회원들 중의 하나에게 연락을 취했던 게 분명해요. 그런데 사람을 잘못 골랐던 거예요. 그자는 교수를 도와주기는커녕 여기에 와서 교수를 죽였으니까요.」

뤼크레스는 고갯짓으로 동의의 뜻을 표하고 나서, 금고를 여는 데 사용할 만한 도구를 찾아 방 안을 돌아다니다가 피켈 하나를 집어 들었다. 그것을 지렛대로 이용해서 금고 자물쇠를 부수어 버릴 생각이었다.

이지도르가 물었다.

「고르디아스의 매듭이라는 말이 생각나는군요. 그런 문제 해결 방식의 추종자인가 보죠?」

「고르디아스의 매듭이 뭔데요?」

「고르디아스는 고대 소아시아 프리기아 왕국의 수도였어요. 그 도시의 제우스 신전에 매듭이 하나 있었는데, 어떤 신탁에서 이르기를 그 매듭을 푸는 자가 아시아의 지배자가 되리라고 했지요. 그런데 그 매듭은 풀기가 불가능한 것으로 알려져 있었어요. 마침내 알렉산더 대왕이 그 얼키설키한 밧줄의 매듭을 마주하게 되었지요. 그보다 앞서 시도했던 모든 사람들처럼, 그도 처음에는 매듭을 찬찬히 풀어 보려고 했지요. 그러다가 화가 나서 그것을 단칼에 잘라 버렸어요. 그 고사에서 〈고르디아스의 매듭〉이라는 말이 나왔어요. 어떤 문제를 인내심을 가지고 침착하게 해결하기보다는 당장에 모든 걸 결판내고 싶어 하는 태도를 일컫는 것이지요.」

「저로 말할 것 같으면, 그냥 간단하고 빠른 해결책의 추종자라고 해두는 편이 낫겠네요.」

뤼크레스가 피켈에 힘을 주어 금고 문을 다시 들어올리자, 대번에 경첩이 들썩이며 문이 열렸다. 그녀는 손전등으로 금고 안을 비추었다. 안에 든 것은 2백 프랑짜리 지폐 열두 장과 포르노 잡지 몇 권이 전부였다. 그녀는 그것들을 아무렇게나 카펫 바닥에 집어던졌다.

이지도르는 피그미 족의 음악소리를 낮추고 몸을 기울여 금고의 암호 자물쇠를 내려다보았다. 그가 감탄하며 말했다.

「야, 대단한데. 암호 세 개 중에서 두 개를 맞췄네요. 이런 기술을 어디에서 배웠어요? 고아원에서 배운 거예요?」

「금고 따기는 우리의 선택 과목에 들어 있었어요. 저는 고아원을 나가면 강도질을 해서 먹고 살 생각을 했기 때문에 언니들하고 야간 강습을 들었지요. 아실지 모르지만, 고아원을 나와서 할 수 있는 일은 둘 중의 하나밖에 없어요. 강도질을 하거나 매춘을 하는 거죠.」

「매춘은 하고 싶지 않았나 보죠? 무슨 이유가 있나요?」

「저는 섹스하는 걸 너무 좋아하기 때문에 그것이 직업이 되는 건 견딜 수가 없어요. 어쨌거나 강도로서는 시작이 그리 나쁜 편은 아니었어요.」

「그런데, 어쩌다가 언론계 쪽으로 오게 됐지요?」

이지도르는 뤼크레스가 자기 얘기를 하는 동안 아예 소파에 가서 편안하게 자리를 잡았다. 그의 몸무게에 눌려 소파가 대번에 쑥 내려앉았다.

그녀는 우연한 계기로 언론계에 발을 들여놓게 되었다. 노르 도(道)의 캉브레에서 있었던 일이다. 그녀는 부유층이 많이 사는 동네의 한 아파트를 털러 들어갔다. 아파트는 비어 있는 것 같았다. 그녀가 노린 것은 주로 은제품들이었다. 그것이 그림 같은 것보다 팔아 치우기가 쉽기 때문이다. 그녀가 은제품들을 모아 막 가방에 담고 있을 때, 현관문에서 열쇠 돌리는 소리가 들려 왔다. 그녀는 즉시 손전등을 끄고 커튼 뒤에 가서 몸을 웅크렸다. 그러나 아무 소용 없는 일이었다. 집주인은 거실이 난장판이 된 것을 확인하자 집 안을 뒤져서 커튼 뒤에 도사린 그녀를 찾아냈다.

집주인은 덩치가 아주 좋은 건장한 남자였다. 뤼크레스는 이내 자기가 어떻게 해야 하는지를 깨달았다. 자기가 아무리 〈고아원 태권도〉에 능하다 해도 힘으로는 그를 도저히 당할 수 없을 것 같았다. 그래서 그녀는 남자의 동정심에 호소하는 작전을 쓰기로 했다.

그런 작전이 통할 만큼 그녀는 귀염성이 있었다. 그녀

는 그 건강한 남자에게 가난한 부모에게 버림받은 불쌍한 고아의 구구절절한 사연을 늘어놓았다. 종교 단체에서 운영하는 고아원의 지독한 생활 조건도 이야기했고, 수녀들이 체벌을 한다는 둥 동성애 관계를 강요한다는 둥 온갖 떠도는 소문들까지 다 주워섬겼다.

그들은 밤새도록 이야기를 나누었다. 남자는 자기가 지방 일간지의 편집국장임을 털어놓았다. 그는 자기 집을 털려고 했던 강도를 탓하기는커녕, 그녀의 배짱과 상상력과 적응 능력을 칭찬하고, 그런 자질이 신문쟁이들에게는 너무나 결여되어 있다고 한탄했다. 요즈음의 신문사에는 관료 근성을 가진 사람들밖에 없어서 다들 사무실에 편하게 죽치고 앉아 퇴근 시간이나 기다릴 뿐 현장으로 뛰어가서 조사하기를 꺼린다는 거였다. 새로운 세대가 들어와도 사정은 달라지지 않는다고 했다. 이런저런 연줄로 들어온 수습 기자들은 한결같이 저희 선배들만큼이나 무능하고 무감각한 기자가 될 게 뻔하다는 거였다.

남자는 뤼크레스의 대담성과 모험심에 반해서, 그녀를 자기 신문사의 수습 기자로 시험삼아 고용해 보겠다고 했다.

처음에 뤼크레스는 사회면의 하찮은 사건·사고 기사를 담당했다. 그러다가 젖은 티셔츠를 입은 모습이 가장 매력적인 여자를 뽑는 동네 〈미스 티셔츠〉 선발 대회나 가장 굵은 호박을 생산한 농민에게 상을 주는 대회 같은 것을 취재했으며, 마침내는 광산의 사고나 파업 같은 한결

심각한 사건을 보도하기에 이르렀다. 그렇게 1년이 지나자, 편집국장은 그녀가 맡은 일을 아주 잘 처리한다고 평가하면서, 좋은 기자가 될 자격이 충분하니 지방에서 더 이상 시간을 허비하지 말고 파리로 올라가라고 권했다. 그러면서 그는 언론 학교 동기인 『르 게퇴르 모데른』의 과학부장 프랑크 고티에게 그녀를 천거한 거였다.

「결국, 우리는 둘 다 남다른 과정을 거쳐서 언론계에 들어온 셈이군요. 나는 도둑을 잡다가 들어왔고, 뤼크레스는 도둑질을 하다가 들어왔으니 말이오.」

이지도르는 그렇게 말하고는 소파에서 일어나 방 안을 서성거렸다.

「당신은 현장의 특징을 빨리 파악하는 데 익숙해져 있을 거예요. 그래서 하는 얘긴데…… 한번 잘 기억해 봐요. 여기에 처음 들어왔을 때, 뭔가 강한 인상을 준 게 없었나요?」

뤼크레스는 잠시 생각해 보다가 대답했다.

「서류철에 있던 신문 스크랩이요. 아제미앙 교수의 확신에 깊은 인상을 받았어요. 그는 자기가 미싱 링크를 발견했다는 주장을 여기저기에서 하고 있었거든요.」

그러나 그 대답은 이지도르가 듣고자 했던 것이 아니었다.

「아니. 그런 거 말고요. 틀림없이 뭔가 비정상적인 것이 있었을 거예요. 이를테면, 당신은 사건 담당 형사의 주장과는 달리 이번 살인은 인근을 배회하는 연쇄 살인범의 소행이 아니라고 생각하고 있어요. 그럼 당신으로 하여금 그런 생각을 갖게 한 게 무엇이죠?」

뤼크레스는 기억을 되살리느라고 미간에 주름을 모았다.

「나는 방을 죽 살펴보았어요. 원숭이들의 얼굴을 그린 그림이 있었고, 가로대에 걸린 뼈대들이 있었어요.」

「눈을 감고 그 장면을 떠올려 봐요. 아파트에 들어선 순간부터 눈에 들어왔던 것을 차례차례 기억해 봐요. 뭔가 이상한 게 없었나요?」

뤼크레스는 눈꺼풀을 바르르 떨다가 다시 눈을 떴다.

「미안해요. 떠오르질 않아요.」

그는 마치 그녀에게 최면을 걸 듯이 말했다.

「다시 눈을 감아 봐요. 숨을 깊이 들이마셔요. 자, 다시 심호흡을 하고. 뇌와 뉴런 하나하나에 신선한 피를 보낸다고 생각하세요. 뇌의 잠들어 있는 부분을 깨우세요. 준비가 되었으면, 이제 그 장면을 느린 동작 화면으로 다시 돌려 봐요. 자, 무엇 때문에 이 살인 사건이 보통의 범죄와 다르다고 생각한 거죠?」

뤼크레스는 관자놀이를 문지르다가 갑자기 두 눈을 크게 뜨며 소리쳤다.

「시체의 자세 때문이에요! 시체는 욕조 안에 있었는데 한 손가락으로 정면의 거울을 가리키고 있었어요.」

두 사람은 서둘러 욕실로 갔다.

「그 순간에는 〈혹시 그가 살인자를 가리키고 싶었던 것이 아닐까〉 하고 생각하긴 했는데…….」

이지도르는 거울을 꼼꼼하게 살펴보았다.

「아니면 거울에 손가락으로 무엇인가를 쓰고 싶었는지도 모르지요.」

뤼크레스는 그렇지는 않을 거라는 듯 고개를 저었다.

「설령 그가 김이 잔뜩 서린 거울에 뭔가를 썼다 할지라도, 우리에겐 별로 도움이 안 되었을 거예요. 사람들이 왔다갔다하고 찬 공기가 들어오면서 모든 게 다 사라져 버렸을 테니까요.」

「사라지지 않았을지도 모르지요.」

그렇게 말하고 이지도르는 욕실 문을 닫은 다음 더운 물 수도꼭지를 끝까지 틀었다. 하얗게 피어 오른 증기가 이내 욕실 안에 가득 서렸다. 욕실이 완전히 사우나처럼 되었을 때 그는 수도꼭지를 잠갔다. 그런 다음 문을 다시 열고 증기가 사라지게 했다.

거울에 서렸던 김이 사라지면서 손가락 자국이 나타났다. 처음에 뤼크레스는 그것이 숫자 5라고 생각했다. 그러나 아니었다. 모양이 5보다 더 둥그스름했다. 그렇다면 그건 숫자가 아니라 글자였다.

아무것도 없는 것처럼 보이던 거울 표면에 홀연히 S자가 나타난 거였다. 뤼크레스는 깊은 감명을 받았다. 이지도르가 설명했다.

「어린 시절에 관찰했던 것을 다시 떠올린 것뿐이에요. 손가락을 유리나 거울에 대면 언제나 미세한 기름막이 남지요. 아주 얇지만, 수분이 증발한 뒤에도 없어지지 않는

막이죠. 거기에 증기를 쐬었다가 사라지게 하면 그림이 다시 나타나요. 오랜 시간이 지난 후에도 말이에요.」

그들은 거울에 나타난 글자를 살펴보았다.

「이 S는 십중팔구 살인자 이름의 머릿글자일 거예요.」

그들은 분가루로 덮인 메모지가 있는 서재의 책상 쪽으로 돌아갔다. 아제미앙 교수가 작성한 명단에는 S로 시작하는 이름을 가진 사람이 한 사람밖에 없었다. 샌더슨 Sanderson 교수가 바로 그 사람이었다.

이지도르가 갑자기 소리쳤다.

「아, 브누아 샌더슨! 그 사람 천문학계의 거물이에요. 뫼동 천문대에 있을 거예요.」

욕실 거울의 표면에 나타났던 글자 S가 다시 사라질 채비를 하고 있었다.

25. 동굴 속으로 너무 깊숙이

〈스…… 스스스, 스스스, 착.〉

발톱들이 바람소리를 내며 허공을 가르다가 살덩이를 싹둑 잘라 낸다.

그런 순간엔 차라리 거북이처럼 몸이 단단한 딱지로 덮여 있으면 좋겠다는 생각이 든다. 그들의 가는 털과 말랑말랑한 살갗으로는 적의 발톱과 이빨을 도저히 당해낼 수가 없다. 적의 발톱과 이빨이 이렇게나 크고 강하고 빠를 때는 더 더욱 그러하다.

적은 아주 지독한 냄새를 풍긴다. 딱히 무슨 동물의 냄새인지를 짐작할 수가 없다. 고양이과 동물도 아니고 개과 동물도 아니다. 어찌 맡으면 그 두 동물의 냄새가 섞여 있는 듯도 하다. 그들의 기억 속에 아직 들어 있지 않은 새로운 동물임에 틀림없다.

적은 크고 사나우며 그들의 목숨을 순식간에 앗아간다.

싸움을 벌일 겨를도 없다. 어둠 속에서 그저 이빨이나 발톱이 긴 칼날처럼 그들의 배를 째고 뼈를 쪼개는 것이 느껴질 뿐이다. 적의 무는 힘은 대단히 강하다. 나무를 자르고 바위라도 부술 수 있을 듯하다.

그들 무리는 알지 못하는 그 짐승을 공연히 건드렸다고 후회하고 있다. 그들은 적의 칼날을 피하기 위해 몸을 숙이거나 동굴 벽에 달라붙는다. 그들 모두가 잔뜩 겁에 질려 있다. 자기도 모르게 똥을 지리는 자들도 있고, 얼굴을 일그러뜨린 채 발작적으로 몸을 부들거리면서 자기가 베어질 차례를 무슨 구원이라도 되는 양 기다리고 있는 자들도 있다. 토막난 살덩이들이 그들 위로 비오듯 쏟아진다.

동굴의 짐승은 울부짖지도 않고 으르렁대지도 않는다. 그저 무심한 듯 조용히 그의 식구들을 죽이고 있을 뿐이다. 도대체 이 짐승이 무얼까? 이제 더 이상 그런 질문을 하고 있을 때가 아니다. 지금은 달아날 때다.

달아나자. 달아나자. 어서 달아나자!

겁쟁이들이 먼저 달아나고 주저하던 자들과 용감한 자

들이 그 뒤를 따른다. 그는 사자의 뼈에 걸려 비틀거리다가 이내 몸을 추스른다. 이제는 동굴 안쪽에서 무슨 일이 벌어지고 있는지 더 이상 알 수가 없다.

밖으로 무사히 탈출하는 데 성공한 식구들이 다시 한자리에 모인다. 빠진 식구들이 많다. 미지의 세계를 탐험한 대가가 너무 크다.

이제 비는 내리지 않는다. 살아남은 자들은 나무 하나가 나타나자마자 서둘러 올라간다. 동굴에 도사리고 있는 괴물이 다시 그들을 공격하러 올지 모르므로 되도록 안전한 곳에 숨어 있어야 하는 것이다. 그들은 저마다 자기 가지에 달라붙은 채 한동안 나무에 머물러 있다.

무리의 우두머리가 이빨을 문지른다. 그 몸짓이 무엇을 뜻하는지는 누구나 알고 있다. 그건 〈내가 실수를 저질렀다는 건 알아. 그렇다고 감히 나한테 대드는 자가 있으면 주둥이를 갈겨 버릴 거야〉라는 뜻이다. 실수를 하고도 비난을 받지 않는 것, 그것은 지배자들의 특권에 속한다. 우두머리는 자기의 정신적 압박감을 해소하기 위해 비쩍 마른 피지배적 수컷 하나를 잡아 사정없이 손찌검을 한다. 다른 피지배적 수컷들도 지배적 수컷들에게 구타를 당한다.

한바탕 그러고 나서야 모두가 정상으로 돌아온다.

쓰라린 경험이긴 했지만, 그래도 그것을 통해 한 가지 교훈을 얻었다. 아직은 동굴의 세계를 정복하려고 할 때가 아니라는 것이다. 그러기에는 너무 이르다. 당분간은 나무의 세계에 남아 있어야 한다.

그는 물론 그 새로운 괴물의 정체가 무엇인지를 알고
싶어 했다. 그러나 그들 무리가 아무리 진화의 정점에 있
다 할지라도 모든 것을 다 알 수는 없는 것이고 모든 질문
에 다 대답할 수는 없는 것이다. 그래도 생명의 위험을 무
릅쓰면서까지 그 괴물에 대해 조금 더 알려고 했던 것은
자랑할 만한 일이다.

그는 자기네 무리를 안전하게 지켜 주고 있는 나뭇가지
들이 마치 우정이 가득 담긴 팔이라도 되는 양 바라보고
있다. 나뭇잎 하나하나가 동굴 속에 웅크리고 있는 괴물로
부터 그들을 지켜 주는 작은 방패인 셈이다.

그때, 나무 껍질을 타고 이상한 바람소리 같은 것이 올
라온다.

〈스스스스스스.〉

26. 천문학자 샌더슨의 이론

샌더슨. 천문학자 브누아 샌더슨은 하늘빛 눈에 흰 수
염을 길게 기른 호리호리한 사람이었다. 털실로 뜨개질한
헐렁한 풀오버를 입고 아주 두툼한 플라스틱 밑창이 달린
신발을 신은 차림이었다. 그것이 아마도 최근에 천문학자
들 사이에서 유행하는 차림새일 터였다.

그는 청각에 장애가 있는지 보청기를 끼고 있었다. 방
문자들이 이야기를 시작하자, 그는 그들의 음성이 잘 들리

도록 보청기를 가장 알맞은 주파수에 맞추었다.

이지도르 카첸버그와 뤼크레스 넴로드는 스스로를 인류의 기원에 관한 르포 기사를 준비하고 있는 기자들이라고 소개했다.

샌더슨이 두 기자를 맞아들인 곳은 뫼동 천문대의 천문학 연구원 현관에서였다.

「인류의 기원을 알고자 하면 생명이 어떻게 지구에 나타나게 되었는가를 알아야 하고, 생명의 기원을 알고자 하면 우주가 어떻게 생겨났는가를 알아야 해요.」

그렇게 말하면서, 그는 두 사람을 어떤 넓은 방으로 데리고 갔다. 한가운데에 거대한 망원경이 있는 공처럼 둥근 방이었다. 개폐식의 둥근 천장은 닫혀 있고, 망원경의 접안경은 검은 덮개로 가려져 있었다.

「이제 여기에서는 더 이상 천체를 관측하지 않습니다. 파리의 하늘이 너무 오염된 탓이지요. 그 대신에, 우리는 세계의 모든 천문대와 통신망으로 연결되어 있어요.」

그러면서 그는 여러 대의 모니터를 가리켰다. 모니터의 화면에는 다소 희미하게 보이는 하얀 점들이 나타나 있었다. 각각의 화면 밑에 표찰이 있어서 화면에 나타난 영상이 어느 천문대에서 보내 오는 것인가를 알 수 있었다. 미국의 팔로마 산, 러시아의 젤렌추크, 피레네 산맥의 미디 봉(峰)에서 보내 온 것이 있는가 하면, 허블 망원경으로 관측하고 있는 우주의 모습도 있었다.

두 기자는 희미하게 반짝이는 하얀 점들을 주의 깊게

살펴보았다. 샌더슨 교수의 설명이 이어졌다.

「태초에 빅뱅이 있었습니다. 그 에너지의 대폭발은 지금으로부터 1백50억 년 전에 일어났어요.」

「그 빅뱅을 볼 수 있나요?」

뤼크레스는 수첩을 꺼내 들며 물었다.

「아니오. 하지만 우주에 퍼지는 빅뱅의 메아리는 들을 수 있지요.」

샌더슨 교수는 한 컴퓨터의 모니터를 켜고 스피커의 여러 조정 스위치를 돌렸다. 주파수를 제대로 맞추지 않은 라디오에서 나오는 것과 비슷한 지지직 소리가 들렸다. 모니터의 화면에 나타난 물결 무늬가 소리의 강도에 따라 흔들렸다.

「지금으로부터 1백50억 년 전에 있었던 대폭발의 메아리를 들을 수 있다는 것이 천문학의 역설 가운데 하나입니다. 공간적으로 더 멀리 있는 것을 보게 될수록 시간상으로도 더 멀리 거슬러 올라가는 것이지요. 우리는 갈수록 더 멀리 있는 별을 보게 됩니다. 그 별들에서 날아오는 빛을 보면서, 천문학자들은 점점 더 먼 과거에 있었던 현상들을 관측하게 되는 것이지요. 언젠가는 아주 성능 좋은 망원경이 나와서, 우리 인간이 빅뱅, 곧 우주의 탄생이라는 그 역사적인 사건을 직접 목격할 수 있을 겁니다. 그런 날이 오기를 기대하는 것이 전혀 터무니없는 것은 아니라고 봅니다. 지금으로서는, 그것의 메아리를 듣는 것으로 만족할 수밖에 없겠지요.」

진화에 대한 샌더슨 교수의 생각은 이러하였다. 진화의 양상은 에펠 탑 같은 모양으로 나타낼 수 있다. 바탕에 에너지가 있고, 위로 올라가면서 물질과 행성과 생명이 있다. 마지막으로 첨탑의 정점에는 가장 늦게 나타났지만 가장 복잡한 동물인 인간이 있다.

그는 자기가 생각하고 있는 대로 진화의 과정을 요약한 표를 한 쪽 벽에 펼쳐 보였다. 뤼크레스는 재빨리 그것을 수첩에 옮겨 적었다.

— 1백50억 년 전: 우주 생성
— 50억 년 전: 태양계 생성
— 40억 년 전: 지구 생성
— 30억 년 전: 지구상에 최초의 생명 출현
— 5억 년 전: 최초의 척추동물 출현
— 2억 년 전: 최초의 포유류 출현
— 7천만 년 전: 최초의 영장류 출현

인류의 역사를 이렇듯 광대한 시야에 놓고 보니, 그것을 수놓은 모든 사건들이 갑자기 하찮게만 보였다. 마치 영겁의 시간이라는 거대한 봉우리의 맨 끝에 있는 아주 작은 부분 안에 그 모든 것들이 빈틈없이 들어차 있다는 느낌이었다.

「교수님, 혹시 〈우리는 어디에서 왔는가?〉라는 클럽의 회원이십니까?」

뤼크레스가 그렇게 묻자, 샌더슨은 빙긋 웃으며 선선히 대답했다.

「그래요. 그 클럽의 회원들은 경마의 출발선에 있는 기수(騎手)들과 조금 비슷합니다. 태초의 비밀을 발견한다는 공통의 목표를 향해 모두가 일제히 달려가는 겁니다. 하지만 각자 자기 나름의 길을 가면서 다른 사람들을 자기 길로 이끌려고 애쓰지요.」

「그럼, 지구상에 인간이 출현한 것과 관련하여 선생님께서는 어떤 이론을 옹호하시는지요?」

이지도르 카첸버그가 물었다.

샌더슨은 질문을 더 잘 듣기 위해 보청기를 조정하더니, 질문을 한번 더 말해 달라고 했다. 그런 다음, 그는 두 사람을 자기의 개인 연구실로 데려갔다. 두 기자는 벽을 따라 늘어선 진열장에 들어 있거나 선반에 올려져 있는 갖가지 크기의 많은 돌들을 살펴보았다.

샌더슨 교수가 다시 말문을 열었다.

「우주는 아주 광대합니다. 헤아릴 수 없이 많은 행성들을 품고 있지요. 행성들이 그렇게 많다면 당연히 생명체가 살고 있는 행성도 상당히 많을 겁니다. 꼭 사람이 살고 있지 않더라도, 동물이나 식물이 서식하거나, 그도 아니면 세균이나 바이러스 같은 미생물이라도 존재하는 행성들이 있을 거라는 얘깁니다. 아닌 게 아니라 화성에서는 이미 유기체가 발견된 바 있습니다. 그런데 이 우주 공간을 종횡무진 날아다니는 천연의 우주선이 있습니다. 별똥별이 바로 그것입니다.」

샌더슨은 진열장에서 운석의 견본 몇 개를 꺼내어 두 기자에게 보여 주었다.

「별똥별들은 우주 공간을 가로질러 끝없이 긴 여행을 합니다. 그러다가 더러는 행성에 떨어져 별똥돌이 되기도 하고, 더러는 물수제비뜨듯이 행성 사이를 담방담방 스치고 지나가 여행을 계속하기도 하지요. 마치 우주에서 큰 당구 게임이라도 벌이는 것처럼 말입니다. 이 별똥별들은 행성이라는 거대한 난자를 수정시킬 수 있는 수백만의 정자와도 같습니다.」

「우리가 흔히 유성(流星)이라고 부르는 게 그 별똥별이죠?」

뤼크레스의 물음에 샌더슨 교수가 고개를 끄덕였다.

「많은 별똥별들이 대기권에 진입하면서 대기와 마찰하여 빛을 내며 떨어지지요. 그 때문에 별이 움직이고 있는 것처럼 느껴집니다. 유성이라는 이름이 그래서 나온 거지요.」

그는 매일 지구에 떨어지는 외계 물체의 수가 평균 3천에 달하는 것으로 추산하고 있었다.

「그런데 어떤 별똥별들은 아주 단단해서 대기권을 통과하면서 다 타버리지 않고 공기를 함유한 채 지상에 떨어지기도 합니다. 공기를 함유하고 있다는 것은 세균이나 바이러스를 품고 있을 수도 있다는 얘기가 됩니다.」

샌더슨은 운석들의 진열장에서 불에 새까맣게 그을린

듯한 돌 하나를 꺼내어 현미경에 올려 놓더니, 두 기자들 보고 와서 보라고 했다. 그가 보여 주고 싶었던 것은 몇 마이크로미터 크기의 아주 작은 생명의 흔적들이었다. 어떤 것들은 둥근 모양이었고, 더러는 벌레처럼 생긴 것들도 있었다.

샌더슨이 보기에는 의심의 여지가 없었다. 별똥별이 행성을 수태시키는 거였다. 먼저 어떤 별똥별 하나가 지구에 생명을 가져왔고, 또 다른 별똥별이 바이러스를 가져와 공룡을 사라지게 하였으며, 제3의 별똥별이 또 다른 바이러스를 가져와 영장류의 동물들을 이상한 병에 감염시켜 돌연변이가 일어났고 그래서 인류가 출현한 거였다.

샌더슨은 자기가 그 이론을 처음으로 제기한 사람이 아님을 스스로 인정했다. 그 〈생명을 가져온 별똥별〉 이론을 1893년에 〈우주 정자*panspermia*〉론이라는 이름으로 처음 내놓은 사람은 스웨덴의 스반테 아레니우스[11]였고, 1902년에 영국의 켈빈 경이 그 뒤를 이었다. 그런 다음 그 이론은 오랫동안 버림을 받았다. 그러다가 1969년에 오스트레일리아에서 머치슨 별똥별이 발견되었다. 그 별똥별은 이전의 모든 주장들과 배치되는 요소를 지니고 있었다. 70가지의 아미노산을 온전하게 함유하고 있었고, 그 중에는 인체의 단백질을 구성하는 여덟 종류의 아미노산도 들

---

11) Svante Arrhenius(1859~1927). 스웨덴의 화학자. 전해질과 이온에 관한 연구로 잘 알려져 있다. 1903년 노벨 화학상을 수상했다.

어 있었던 것이다.

「혹자는 이렇게 반박할지도 모르지요. 그 단백질이 대기권에 들어오면서 새까맣게 타버렸기 때문에 거기에서 생명이 만들어질 수는 없었을 거라고 말입니다. 하지만, 그 별똥별이 발견되기 얼마 전에 프리온, 즉 대단히 높은 온도를 견디어 내는 단백질이 발견된 바 있습니다. 그 프리온은 바이러스보다 훨씬 강하고 질병을 훨씬 빠르게 옮길 수 있지요.」

뤼크레스가 놀라워하며 물었다.

「그럼, 최초의 인간은 프리온에서 나왔을지도 모르겠네요?」

샌더슨 교수는 그것을 확신하고 있었다.

「인간은 방식이야 어찌되었든 외계의 질병 때문에 출현한 것입니다. 어떤 원숭이가 그 병에 걸려서 돌연변이를 일으켰을 것이고, 그래서 이전의 원숭이와 약간 다르게 되었을 겁니다. 사실, 모든 질병은 우리를 진화시키지요.」

그는 마치 고양이를 쓰다듬듯이 자기의 별똥별 하나를 어루만지며 말을 이었다.

「내 이론은 오랫동안의 사색에서 나온 것입니다. 그 사색을 통해서 나는 이전의 고정 관념들을 많이 버리게 되었지요. 감기든 홍역이든 간염이든 그 병에 걸린 사람을 조금씩 변하게 합니다. 예로부터 질병은 언제나 인류의 진화에 이바지해 왔습니다. 페스트는 우리에게 위생을 가르쳐 주었고, 콜레라는 물을 걸러 먹는 법을 가르쳐 주었으며,

결핵은 항생제의 발견을 가져왔습니다. 오늘날 그토록 많은 사람들을 공포에 떨게 하는 새로운 질병들이 장차 뭔가 좋은 것을 가져올지 그 누가 알겠습니까?」

이지도르는 방 안을 이리저리 돌아다니면서 운석을 두드려 보기도 하고 반들반들한 돌이나 형태가 기이한 돌들을 들어올려 보기도 했다. 그러면서도 샌더슨이 말하는 것은 하나도 놓치지 않고 듣고 있었다.

「어느 질병이든 우리에게 교훈을 가져다 줍니다. 암은 세포 간의 의사 소통에 문제가 있어서 생기는 질병입니다. 건강한 세포가 병든 세포에게 증식을 중단해야 한다고 알려야 하는데 더 이상 그럴 수가 없을 때 생기는 것이지요. 에이즈는 사랑의 질병입니다. 세포들이 저희에게 무엇이 좋고 무엇이 해로운지를 더 이상 분별할 수 없을 때 생기는 것이지요. 그 의사 소통의 상실과 가치관의 실종이 바로 인류의 현재 상태가 어떠한지를 분명하게 보여 주고 있지 않습니까? 그런 상태를 극복하기 위해서는 인류에게 새로운 돌연변이가 필요합니다. 그러고 나면, 또 다른 질병이 나타날 것이고, 그 질병이 사람들을 더 앞으로 나아가게 만들겠지요.」

멀찍이 떨어져서 듣고 있던 이지도르가 토를 달았다.

「그런 견해 때문에, 〈우리는 어디에서 왔는가?〉라는 클럽 내부에서 많은 논란을 불러일으키셨겠군요?」

교수는 주로 신앙인과 무신론자, 다윈주의자와 라마르크주의자 사이에 이견이 좁혀지지 않아서 가끔 회의가 긴

장된 분위기에서 이루어졌음을 인정했다.

「천문학에서는 증거가 없기 때문에 서로 반대되는 것을 동시에 주장하는 것이 가능합니다. 그러나 고생물학의 경우에는 사정이 전혀 다릅니다. 고생물학자들은 아무 화석 조각이든 증거랍시고 들고 나와서 고집스런 주장을 펼치기가 일쑤지요.」

「아제미앙 교수처럼 말입니까?」

이지도르의 질문에 샌더슨 교수는 놀라는 기색을 보였다. 그러나 그는 아무런 대꾸도 하지 않았다.

이지도르는 샌더슨에게 바싹 다가가면서 다짜고짜 질문을 던졌다.

「아제미앙 교수를 싫어하시지요?」

샌더슨은 소스라치며 뒤로 물러섰다.

「무엇 때문에 그런 말을 하는 거죠?」

「선생님 얼굴에 그렇게 씌어 있습니다. 아제미앙이라는 이름이 나올 때마다 얼굴에 가벼운 경련이 일었거든요. 사람의 얼굴이란 자동차로 말하면 갖가지 계기와 표시등으로 가득한 계기판과 같은 것이지요.」

샌더슨은 냉정을 되찾으려고 애썼다. 그러나 얼굴의 움직거림을 통제할 수는 없었다.

「아제미앙…… 그 사람 좀 별나기는 했어요. 그렇다고 그 사람에게 무슨 원망이 있었던 건 아니에요. 나에게 그 사고가 있은 뒤에도 그를 원망하지 않았습니다.」

「사고라니요? 어떤 사고죠?」

샌더슨은 한 손을 보청기에 갖다 대며 대답했다.

「나의 청각 장애는 아제미앙의 짓궂은 장난에서 비롯된 것입니다. 어느 날, 그가 내게 다가오더니 귓속말로 이러는 거예요. 〈자네 빅뱅 소리를 듣고 싶지 않나?〉 내가 뭐라고 대답할 새도 없이, 그는 커다란 폭죽을 내 귀에 바싹 대고 터뜨렸어요. 아제미앙은 그런 사람이었어요. 장난을 무척 좋아했어요. 빅뱅에 관심이 많은 사람은 마땅히 빅뱅을 경험해 보아야 한다며 장난을 친 건데, 내 고막이 너무 약했던 게 탈이지요. 그 뒤로 내 청력이 80퍼센트 가까이 감소했어요. 그런데 청각은 우리의 공간 지각력에 시각보다 훨씬 더 많이 영향을 미치는 모양이에요. 난청이 된 뒤로 나는 내가 있는 공간의 크기에 대한 감각을 잃어 버렸어요.」

「선생님께서 그 사람을 죽이셨습니까?」

이지도르가 물었다.

「아니오.」

「그럼, 누가 그를 죽였을 거라고 생각하십니까?」

그때였다. 갑자기 창유리가 요란한 소리를 내며 부서졌다. 샌더슨 교수는 그 소리를 가벼운 소음 정도로만 느꼈기 때문에 사태의 심각성을 금방 알아채지 못했다. 뤼크레스가 재빨리 그를 바닥에 엎드리게 하지 않았으면 밖에서 날아 들어온 커다란 돌멩이에 그의 머리가 깨졌을 거였다. 돌멩이는 그의 머리를 아슬아슬하게 스치며 바닥에 떨어졌다. 깨어진 유리 조각이 비오듯 쏟아졌다.

그들은 조심스럽게 다시 일어나 밖을 내다보았다. 돌멩이를 던진 자가 보였다. 원숭이였다. 원숭이는 유리창 정면에 있는 나뭇가지에 올라서서 제가 던진 물건이 어떤 결과를 가져왔는지 살피고 있었다. 그러다가 팔을 민첩하게 놀려 이 나무에서 저 나무로 건너뛰며 멀어져 갔다.

「원숭이예요!」

뤼크레스가 소리쳤다.

「저놈이 이 돌멩이로 나를 박살내려고 했어요.」

　샌더슨은 겁에 질린 표정을 지으며 손으로 이마를 쓸었다. 뤼크레스가 때맞추어 나선 덕분에 그의 이마에는 작은 찰과상이 났을 뿐이었다.

「무슨 이유로 원숭이가 사람을 죽이고 싶어 하는 거지?」

이지도르가 물었다.

　아직 충격에서 완전히 벗어난 건 아니었지만, 샌더슨 교수는 이내 냉정을 되찾았다.

「콩라드일 겁니다.」

그가 한숨을 내쉬며 말했다.

「네? 콩라드라고요?」

「콩라드 교수와 아제미앙 교수는 프랑스 고생물학계에서 쌍벽을 이루는 권위자들이었습니다. 그런데 두 사람은 서로 미워했어요. 콩라드가 보기에 아제미앙의 우스꽝스러운 이론은 고생물학계 전체에 먹칠을 하는 것이었지요. 어느 날인가는 둘이서 주먹다짐까지 했어요. 이런 얘기를 두 분에게 하고 싶지는 않았는데, 보아하니 사태가 심상치 않게 돌아가는 것 같아서 하는 말입니다. 콩라드 교수는 고생물학자일 뿐만 아니라 영장류 학자이기도 합니다. 파리 자연사 박물관에 있는 동물원의 〈원숭이〉과를 책임지고 있지요. 그는 원숭이들을 완벽하게 다룰 줄 압니다.」

뤼크레스는 용의자의 이름과 그가 있는 장소를 수첩에 적었다.

이지도르는 문제의 원숭이가 타고 지나간 나뭇가지들을 한동안 바라보았다. 문득 욕실의 거울에 씌어져 있던 S자에 생각이 미쳤다. 혹시 그 S는 그냥 원숭이[12]를 뜻하는 것이 아닐까?

27. 뱀

<u>스스스……</u> 스스슷.

뱀이 그렇게 음산한 소리를 냈다.

화재를 겪고 동굴에서 그 이상한 동물을 만나고 난 뒤 겨우 마음이 진정되는가 싶었는데, 이번에는 커다란 뱀과 마주친 것이다.

그는 뱀을 싫어한다. 딱히 이유를 설명할 수 없지만 혐오감이 마음 깊이 사무쳐 있다. 그는 특히 왕뱀을 싫어한다.

---

12) 프랑스 어로는 원숭이를 *singe*라고 한다.

뱀이 그의 다리를 감으며 목 쪽으로 올라와 숨통을 죄려고 한다. 차갑고 끈적끈적한 느낌 때문에 소름이 쫙쫙 끼친다. 뱀이 벌써 그의 목을 두 바퀴나 감았다. 죄어드는 느낌이 점점 강해진다. 그는 뱀의 머리를 잡으려고 안간힘을 쓴다. 숨통을 죄기 위해 몸에 감겨드는 뱀들은 대개 독니를 가지고 있지 않다. 뱀과 싸울 때는 독과 질식 중에서 하나만 문제가 된다.

그는 뱀의 턱을 벌리려고 애쓴다. 다른 식구들은 싸움에 끼어들지 않고 그를 바라보고만 있다. 자기 문제는 자기 스스로 해결해야 한다. 뱀이 그의 숨통을 더욱 압박해 온다. 그는 숨통에 공기가 통하도록 기침을 하고 뱀의 턱을 더욱 세게 잡아당긴다. 그러면 그럴수록 뱀은 더 더욱 세게 조여 온다. 이제 그는 거의 숨이 멎을 지경이다.

곧 죽을 거라는 생각이 든다. 그러자 그가 살았던 삶의 모든 순간들이 차례로 뇌리를 스쳐 지나간다. 초원을 질주하던 일, 암컷과 흘레하던 일, 전쟁, 결투, 푸짐한 식사……. 그의 생각을 어떤 단단한 소재에 기록해 둘 수가 없으므로, 아무도 그에게 일어났던 일을 알지 못할 것이다. 아주 멀리, 그 자신도 모르는 어떤 깊은 곳으로부터 문장 하나가 떠올라 그의 뇌리에서 맴돈다.

이 모든 순간들은 망각 속으로 사라질 것이다.
눈물이 빗물 속으로 스러지듯이.[13]

하나로 이어진 이 말들은 대체 어디에서 온 것일까? 미래에서? 과거에서? 아니면 구름으로부터? 그것도 아니면 이 세계와 평행을 이루고 있는 다른 세계에서?

눈물이 빗물 속으로 스러지듯이…….

그는 그 문장이 아름답다고 생각한다. 그의 종(種)은 그런 아름다운 생각을 할 수 있다. 그는 이렇듯 훌륭한 동물의 일원으로 태어난 것이 자랑스럽다. 반면에 이 뱀은 그런 생각을 할 수 없을 것이다. 거기에 생각이 미치자, 자기는 살아남을 가치가 있다는 믿음이 그의 마음에 되살아난다.

그는 마지막 간힘을 솟구어 뱀의 머리를 일거에 찢어 버렸다. 이제 그의 양손에 뱀의 턱이 하나씩 들려 있다. 그의 몸을 죄고 있던 차갑고 끈적끈적한 뱀의 몸뚱이에 스르르 힘이 풀린다. 그의 숨통과 허파에 다시 공기가 돌기 시작한다. 그는 뱀의 머리를 우적우적 깨물어 먹고, 나머지는 어린 식구들에게 먹으라고 주면서 작은 뼈들이 목구멍에 걸리지 않도록 조심하라고 이른다. 뱀은 죽어서조차 해악을 끼칠 수 있는 동물인 것이다.

그는 나무의 우듬지로 올라간다. 꼭대기에 올라서니 세

---

13) 베르베르가 가장 좋아하는 작가 필립 K. 딕의 소설을 각색한 영화 『블레이드 러너』에 나오는 대사를 약간 변형한 것. 원래의 대사는, 〈이 모든 기억들은 시간 속으로 사라질 것이다. 눈물이 빗물 속으로 스러지듯이〉.

상의 모든 것이 달라 보인다. 땅의 위험에서 멀어져 있을 뿐만 아니라 하늘의 경이로운 풍광에 더욱 가까이 와 있다. 그는 새가 되어 구름을 향해 올라가고 싶어 했었다. 잠시라도 저 높은 곳을 향해 날아 볼 수 있게 독수리가 와서 자기를 채어 갔으면 좋겠다고 생각한 적도 있었다.

아까 그가 암컷의 다리에 매달렸을 때, 다른 식구들은 그가 암컷을 구하려 한다고 생각했을 것이다. 그러나 아니었다. 그는 그저 하늘을 날고 싶었을 뿐이었다.

그는 하늘을 가만히 올려다보고 있다. 벌써 별 하나가 반짝거리기 시작한다. 하늘이 점점 어두워진다. 홀로 반짝이는 개밥바라기 옆으로 별똥별 하나가 지나가면서 하늘에 줄무늬를 그린다. 또 다른 별똥별이 하늘을 가른다. 그러나 그는 그것이 무엇인지 상상할 수가 없다.

그에게 별똥별은 빛을 내며 대단히 빨리 날아다니는 작은 새일 뿐이다.

28. 콩라드 교수의 이론

「그 별똥별 이야기를 믿으세요?」

뤼크레스가 물었다.

이지도르는 아무 대답 없이 매표소에 가서 돈을 내고 거스름돈을 받았다. 그들은 파리 자연사 박물관의 동물원 안으로 함께 들어갔다.

그곳은 커다란 동물 우리들 사이에 녹슨 철책이 있어서 물소가 아무 탈 없이 곰과 가까이 지낼 수 있고, 기린이 호랑이로부터 떨어져 안심하고 살 수 있는 곳이었다. 두 기자는 꾸물거리지 않고 바로 영장류 구역으로 발걸음을 옮겼다.

어떤 우리 안에서 장난꾸러기 비비들에게 먹이를 주고 있는 하얀 가운 차림의 남자가 눈에 들어왔다. 때 하나 묻지 않은 너무나 하얀 가운이 인상적이었다. 그의 금빛 콧수염은 아주 잘 다듬어져 있었고, 희끗희끗한 긴 머리 역시 정성스럽게 빗질이 되어 있었다. 그가 바로 콩라드 교수였다. 그는 마치 소란 떠는 아이들을 다루듯이 원숭이들을 대하고 있었다.

「자, 자. 얌전히들 있어. 안 그러면 아빠가 화를 낼 거고 너희들은 맘마를 먹을 수 없게 될 거야.」

비비들은 그 말에 즉시 태도를 바꾸고 가는 신음소리를 냈다. 교수는 비비들에게 과자를 나누어 주었다. 비교적 덩치가 큰 비비들은 눈을 애처롭게 찡그리고 거지처럼 손을 내밀면서 과자를 더 달라고 했다.

「동정을 사려고 애써 봐야 소용없어. 그런 건 나한테 안 통해. 나는 달라고 하지 않는 애들한테만 맘마를 줄 거야.」

이 영장류 학자는 그런 식으로 〈포기하면 얻는다〉는 이치를 비비들에게 가르치고 있는 거였다.

이지도르와 뤼크레스는 그에게 말을 걸기로 했다.

「콩라드 교수님, 안녕하십니까? 저희는 『르 게퇴르 모데른』에서 나온 기자들입니다. 인류의 기원에 관한 기사를 준비하고 있는 중인데, 그 주제에 대해서 이야기 좀 나눌 수 있을까요?」

콩라드 교수는 비비들에게 나중에 다시 오겠다고 약속했다. 비비들은 대답 대신 이빨을 드러내고 으르렁거리면서 마치 뜨거운 음식을 식히려는 것처럼 콧김을 불어댔다. 교수는 우리를 나와 문을 다시 닫고, 손을 박박 문질러 씻은 다음 두 방문객과 힘차게 악수를 했다. 그는 걸으면서 이야기를 하자고 제안했다.

「어때요, 이 정도면 에덴 동산까지는 아니더라도 노아의 방주의 작은 견본이라고는 할 수 있지 않겠습니까?」

작은 여우원숭이 한 마리가 철책 사이로 머리를 내밀어 교수의 손바닥을 핥으려고 했다. 교수는 그 여우원숭이를 쓰다듬어 주었다. 여우원숭이들은 손가락이 다섯 개인 그 작은 손과 호기심으로 가득한 그 눈 때문에 마치 작게 오그라든 노인처럼 보였다.

콩라드 교수는 자기가 동물학자는 아니지만 고생물학자로서 일을 하다 보니 자연스럽게 화석뿐만 아니라 살아 있는 동물들에게도 관심을 갖게 되었고, 그래서 영장류 학자가 되었노라고 설명했다.

인도네시아 오랑우탄 한 마리가 유별나게 긴 팔을 뻗쳐서 뤼크레스의 적갈색 머리채를 잡고 제 우리 쪽으로 잡아당겼다. 그녀의 머리가 철책에 닿자 놈은 그녀의 귀를 핥았다. 콩라드 교수가 즉시 나섰다. 그는 오랑우탄이 그녀의 머리채를 놓을 때까지 놈의 털가죽을 아주 세게 꼬집었다.

「좀 점잖게 굴어, 임마. 괜찮으세요, 아가씨? 겁내지 마세요. 정말로 못된 놈은 아니에요. 단지 숙녀들을 세심하게 배려할 줄 몰라서 이러는 겁니다.」

오랑우탄은 그것으로는 성에 차지 않았는지, 주먹을 휘두르고 제 생식기를 잡아당기며 소리를 질렀다. 그 생식기는 놈이 혼자 살고 있는 그 우리에서는 전혀 쓸모가 없는 물건이었다.

「저건 아마 자기에게 암컷을 달라고 요구하는 저 녀석 나름의 방식일 겁니다.」

이지도르는 측은한 마음을 느끼며 오랑우탄을 두남두었다.

「아니에요. 녀석에겐 이미 암컷이 있었어요. 그런데 암컷을 너무 깨물어서 같이 붙여 놓을 수가 없어요. 그렇긴 해도 사람을 해치지는 않아요.」

콩라드 교수는 두 기자에게 자기의 안내를 받으면서 자연사 박물관의 고생물학 전시관을 둘러보자고 권했다.

1층은 척추동물들의 해부체가 진열되어 있는 곳이었다. 동물들은 모두 발가벗겨진 모습으로 전시되고 있었다. 이를테면 뼈대까지 드러내는 스트립쇼를 하고 있는 셈이었다. 다만 사람은 예외였다. 사람의 견본은 점잖게 빨간 근육을 간직한 채 박피 해부체로 전시되어 있었다. 그 견본은 마치 어떤 경주에서 막 이기고 돌아오기라도 한 것처럼 의기양양하게 팔을 들어올린 모습이었다. 그의 생식기는 포도나무 잎으로 가려져 있었다. 무엇이 그렇게 흡족한지, 그는 빨간 안면 근육과 하얀 인대를 총동원하여 미소를 짓고 있었다.

그 견본의 왼쪽에는 어디에서 수거해 왔는지 모를 태아의 작은 뼈대들이 있었다. 오른쪽에는 우등한 포유동물들이 전시되어 있었고, 그 뒤는 당연히 〈열등한〉 포유동물들의 차지였다.

「진화의 큰 동인(動因) 두 가지를 말하라면, 나는 첫째로 우연, 둘째로 자연 도태를 들겠습니다.」

콘라드 교수는 부리의 길이가 다른 두 새의 뼈대를 비교해 보라고 하더니, 먼저 부리가 짧은 새의 뼈대를 가리키며 말했다.

「이 새를 보세요. 박새입니다. 이 새는 나무 껍질 속에 사는 벌레들을 잡아먹습니다. 그런데 한때 이 종(種)이 너무 많이 번식하는 바람에 벌레들이 희귀해졌습니다. 그러자 박새들이 사라지기 시작했어요. 그들 중에서 소수를 이루는 일부만이 우연히도 더 길고 뾰족한 부리를 가지고 있었지요. 그런 박새들은 더 깊은 구멍에 있는 벌레들을 잡아먹을 수 있었습니다.」

그는 부리가 긴 다른 새의 뼈대를 가리켰다.

「짧은 부리를 가졌던 박새들은 거의 사라졌고, 이렇게 긴 부리를 가진 자들만 살아남은 거지요.」

「살아남은 박새들은 어떻게 해서 긴 부리를 갖게 되었을까요? 그런 돌연변이가 왜 일어나는 거지요?」

「우연히 그렇게 된 겁니다. 처음엔 마치 자연이 수백 만 가지 실험을 동시에 행하기라도 하는 것처럼 온갖 것이 공존하는 채로 시작됩니다. 그러다가 자연 도태를 통해 덜 적합한 것들이 사라지는 것이지요.」

「그러면 자연 도태가 사람에게 적용될 경우에, 언젠가는 꼽추라든가 커다란 이를 가진 사람들만이 살아남게 될 수도 있다는 얘긴가요?」

뤼크레스의 물음에 콩라드 교수가 웃음을 터뜨렸다.

「미래 인류의 자연 도태에 어떤 기준이 적용되느냐에 따라 다르겠지요. 하지만 그것은 어쨌거나 수백만 년에 걸쳐 이루어지는 일이라서……」

그들은 번들번들하게 칠을 해놓은 동물의 시체들 사이로 계속 걸었다. 시체들마다 번호가 매겨져 있고 발음하기 어려운 라틴 어 이름이 붙어 있었다.

「말은 이렇게 하지만, 사실 내가 한 일은 아무것도 없어요. 앞에서 말한 것도 내 생각이 아니라 우리 모두의 스승인 다윈의 생각이지요. 진화에 관한 이론 중에서 공인된 것은 이것밖에 없어요. 우연, 그리고 자연 도태.」

그는 동물과 식물의 각 종류를 진화해 온 차례대로 계통을 지어 벌여 놓은 계통수를 주의 깊게 살펴보라고 기자들에게 권했다. 그들은 자기 조상들의 역사를 요약한 그 커다란 그림 앞에 멈추어 섰다.

——7천만 년 전: 최초의 영장류 출현. 벌레를 먹고 살았

던 그들은 뾰족뒤쥐와 비슷했다.

— 4천만 년 전: 최초의 여우원숭이 출현.

그림에서 아주 가까운 곳에 여우원숭이의 뼈대가 하나 있었다. 어느 모로 보나 조금 전에 콩라드 교수가 먹이를 주었던 여우원숭이들과 크기가 비슷했다. 콩라드 교수는 여우원숭이를 선행 인류의 원시 형태로 보고 그 동물에 아주 특별한 관심을 보이고 있었다.

「여우원숭이들은 사람의 본질적인 특성이라고 할 만한 것을 이미 세 가지나 지니고 있었습니다. 다른 손가락들과 마주 대할 수 있는 엄지손가락, 납작한 손톱, 납작한 얼굴이 바로 그것이지요. 엄지손가락을 다른 손가락들과 마주 대할 수 있으면 물건을 잡아 도구로 사용할 수 있습니다. 또 손톱이 갈퀴지지 않고 평평하면 손가락을 오그려 주먹을 쥘 수 있고 여러 가지 용도로 그 주먹을 사용할 수 있지요. 요컨대, 여우원숭이들은 손을 개발한 것입니다.」

뤼크레스는 무심코 다섯 손가락을 폈다가 오그리면서 여러 가지 형태를 만들어 보았다.

「또 여우원숭이들은 얼굴이 납작해짐으로써 입체적인 시력을 갖게 되었어요. 그전에는 가운데가 볼록한 얼굴 양쪽에 눈이 있어서 동물들이 거리를 가늠할 수도 없었고 오목볼록을 분간할 수도 없었어요. 그러다가 여우원숭이들을 시작으로 해서, 앞으로 나와 있던 코와 주둥이가 뒤로 빠지고 눈이 얼굴의 전면(前面)으로 나왔습니다. 그럼으로써 전방을 입체적으로 볼 수 있게 된 거지요.」

콩라드 교수는 자기가 말한 것을 간단한 실험으로 확인해 보라고 두 기자에게 권했다. 그 실험이란 이런 것이었다. 두 주먹을 포개어 코에 대면 입체적 시각에 장애를 받는다. 그러다가 두 주먹을 떼면 공간의 크고 작음과 멀고 가까움이 완벽하게 구별된다.

「여우원숭이들이 이 나무에서 저 나무로 몸을 날리면서 나뭇가지를 놓치지 않고 잡을 수 있는 것은 바로 그런 눈을 가지고 있기 때문이지요.」

「평평한 얼굴이 시력이라는 측면에서는 편리했겠지만, 그 대신 긴 주둥이의 이점이 사라졌다는 생각이 드는군요. 긴 주둥이는 지렛대 구실을 할 수 있어서 먹이를 물거나 꼼짝못하게 하는 데에는 더 편리했을 테니까요.」

이지도르가 그렇게 토를 달았다.

「손이 발달하게 되면, 주둥이의 그런 기능은 중요성을 잃게 되지요.」

콩라드 교수는 가로대에 매달아 놓은 원숭이들의 뼈대 사이로 나아가면서 설명을 계속했다. 그 원숭이들의 뼈대는 두 기자가 아제미앙 교수의 서재에서 본 것들과 비슷했다.

「2천만 년 전에 여우원숭이는 원숭이에게 쫓기는 신세가 되었어요. 원숭이는 여우원숭이의 돌연 변이체인데, 여우원숭이보다 훨씬 더 영악했지요. 여우원숭이들이 살아남을 수 있는 곳은 한 군데밖에 없었어요. 마다가스카르 섬이 바로 그곳입니다. 하나의 거대한 뗏목처럼 아프리카 대륙에서 떨어져 있는 그 섬이 낙후된 종의 마지막 생존자들을 구해 준 것이지요. 여타의 아프리카 지역에는 겨우 6종의 여우원숭이들이 남아 있음에 비해서, 마다가스카르 섬에는 아직도 29종이나 남아 있습니다.」

콩라드 교수는 두 사람을 종의 계통도 앞으로 다시 데리고 갔다.

「지금으로부터 4백40만 년 전에서 2백80만 년 전 사이에, 오스트랄로피테쿠스가 원숭이들에게서 갈라져 나옴으로써 사람으로 진화하는 가지가 만들어집니다. 고릴라나 침팬지에서 사람이 갈라져 나온 것은 아마도 기후 변화 때문이었을 겁니다. 거기 원숭이들이 살고 있던 동부 아프리카에 어느 날 지진이 일어났습니다. 그럼으로써 이른바 리프트 밸리라 불리는 단층 분지가 생겼지요. 이 단층 분지 때문에 기후 조건이 각기 다른 세 지역, 즉 밀림 지역, 산악 지역, 나무가 듬성듬성한 사바나 지역이 나타났어요. 밀림에서는 침팬지의 조상들만이 살아남았고, 산에서는 고릴라의 조상들이, 그리고 나무가 듬성듬성한 사바나에서는 인간의 조상들이 살아남았지요.」

콩라드 교수는 지도에서 손가락으로 리프트 밸리를 따라갔다. 거대한 균열의 흔적이 아프리카 남부에서 시작하여 터키까지 이어지고 있었다.

「오스트랄로피테쿠스가 침팬지의 조상이나 고릴라의 조상과 크게 다른 점은 꼬리가 사라졌다는 것입니다. 나뭇가지에서 나뭇가지로 건너뛸 때 균형을 잡는 데 꼭 필요한 꼬리가 더 이상 쓸모없게 된 것이지요. 여러분의 꽁무니뼈를 한번 만져 보세요. 우리 등마루의 맨 끝에 붙어 있는 작고 쓸모 없는 뼈, 그것이 바로 리프트 밸리가 생기기 전의 인간이었던 나무살이 원숭이의 마지막 흔적입니다.」

뤼크레스와 이지도르는 각자의 꽁무니뼈를 만지며 아이들처럼 재미있어 했다.

「하지만 꼬리가 사라진 것은 사람이 원숭이로부터 분화했음을 시사하는 유일한 징표가 아니었습니다. 몸통이 바로 세워진 것이라든가 뇌의 부피가 커진 것, 얼굴이 평평해짐으로써 입체적인 시력이 더욱 좋아진 것도 또 다른 표징이었지요. 후두(喉頭)가 내려간 것도 빼놓을 수 없지요. 그전의 영장류는 간단한 발성밖에 할 수 없었지만 후두가 아래로 내려감으로써 영장류의 소리가 한결 다채로워졌습니다. 또 털가죽이 사라졌고, 미성년기가 길어지면서 교육 기간도 길어졌습니다. 그와 동시에 훨씬 더 복잡한 사회적 행동이 나타났지요.」

콩라드 교수는 포도나무 잎으로 생식기를 가리고 있는 박피 해부체를 쓰다듬었다.

「이것이 호모 사피엔스 사피엔스입니다. 바로 우리죠. 자연이 공력을 가장 많이 들여 만들어 낸 완벽한 생명의 형태, 복잡하고 정교한 불후의 걸작이죠.」

「혹시 아제미앙 교수와 친분이 있으셨습니까?」

뤼크레스가 물었다.

콩라드 교수는 진화에 관한 설명을 중단했다.

「물론 잘 알고 지냈지요. 그는 우리 세대의 고생물학자들 중에서 둘째 가라면 서러워할 만큼 탁월한 능력을 지닌 사람이었습니다. 그런데, 말년에 그는 미치광이가 되어 버렸어요. 황당 무계하기 짝이 없는 이론을 들고 나왔어요. 우리 학계 전체의 명예를 실추시킬 염려가 있는 우스꽝스러운 주장이었지요.」

그는 자기 사무실로 가자며 두 기자를 계단 쪽으로 이끌었다.

「아제미앙은 비합리적인 것의 유혹에 무릎을 꿇은 학자였습니다. 뱃사람들이 사이렌의 아름다운 노래에 홀렸듯이, 학자들도 반이성의 매혹에 굴복할 수 있습니다. 아제미앙만 그런 것이 아닙니다. 예전에도 그런 학자들은 많았고, 아주 잘 알려진 사례도 더러 있습니다. 영국의 아마추어 고고학자이자 변호사였던 찰스 도슨과 지질학자 아서 스미스 우드워드가 한 예가 될 것입니다. 그들은 1912년에 잉글랜드 서섹스 주 필트다운에서 발견한 두개골과 턱뼈를 내놓으면서 마침내 미싱 링크를 발견했노라고 주장했습니다. 사람들은 40년 넘게 그들의 주장을 믿었지요. 그러다가 1953년에서 54년 사이에 이루어진 면밀한 재검사를 통해 그들이 제시한 〈필트다운 맨〉이 사람의 두개골에 원숭이의 턱뼈를 교묘하게 붙여서 만든 위조 화석임이 드러났고, 1959년의 화학 검사를 통해 그 뼈들이 크롬과 황산철로 착색되었음이 밝혀졌습니다.」

콩라드 교수는 아제미앙이 사라진 것은 당연한 일이라고 평가했다. 따지고 보면 고생물학도 자연의 법칙을 따르는 것이고, 가장 적합한 자들만이 살아남게 마련이라는 거였다. 그의 생각대로라면, 아제미앙은 결국 파멸을 자초한 셈이었다.

「그 사람은 우리 모두에게 해를 끼치고 있었어요. 고생물학의 위신을 떨어뜨림으로써 진지한 학자들에게 돌아갈 연구 보조금이 줄어들게 했지요.」

콩라드 교수는 자기가 최근에 발표한 논문의 복사물을 찾느라고 이 서랍 저 서랍을 열심히 뒤졌다.

「인류의 기원에 관한 기사를 쓴다니까 한 가지 주고 싶은 게 있어요. 내가 강의한 내용을 정리한 것인데, 도움이 되겠다 싶은 대목들이 있으면 그대로 옮겨 쓰는 것이 더 편할 거예요.」

그는 두개골을 옆에 두고 미소를 지으면서 찍은 자기의 사진도 한 장 건네주었다.

콩라드 교수가 문서를 찾는 동안 뤼크레스는 방 안을 휘휘 둘러보았다. 작은 작업대 위에 놓인, 끝이 날카로운 피켈들에 그녀의 눈길이 멎었다. 교수의 시선이 그녀의 눈길을 좇았다.

「아, 알겠어요. 그 사람 피켈에 배를 찔려 죽었다지요. 바로 저것들과 비슷한 흉기에 당한 거지요. 그렇다고 설마 내가 그를 죽였다고 생각하는 건 아니겠지요?」

그가 시무룩한 표정을 지었다.

「아니에요. 나는 그를 죽이지 않았어요. 내가 미쳤다고 그런 짓을 합니까? 그 사람을 순교자로 만들려고 그런 짓을 해요? 나 같으면 그게 싫어서라도 그런 짓을 안 했을 거예요. 사람들은 누가 죽임을 당하면 덮어놓고 그가 옳았다고 생각하는 버릇이 있거든요.」

이지도르 카첸버그가 그의 말을 무질렀다.

「그럼, 선생님이 보시기에는 누가 그를 죽인 것 같습니까? 뭔가 짚이는 것이 없으신가요?」

「〈사건 뒤에는 여자가 있다.〉 이것이 범죄 수사 때마다 상투적으로 나오는 얘기가 아닌가요?」

콩라드 교수는 아제미앙의 생애에 적지 않은 여자가 있었다고 알려 주었다. 그러면서 특별히 솔랑주 반 리스베트라는 이름을 댔다. 아제미앙이 그녀 곁을 떠났을 때 그녀가 복수하고야 말겠다고 말하는 것을 들었다는 거였다.

솔랑주 반 리스베트…… 뤼크레스는 어디선가 그 이름을 들었다는 생각이 들었다. 바로 아제미앙 교수의 메모철에서 알아낸 세 이름 중의 하나였다. 아제미앙의 정부였던 그녀 역시 클럽 〈우리는 어디에서 왔는가?〉의 회원이었다.

뤼크레스는 궁금증이 풀리지 않고 있던 다음 문제로 넘어갔다.

「선생님을 뵈러 오기 전에, 샌더슨 교수를 찾아갔었습니다. 그런데 그분과 이야기를 나누던 중에 어떤 원숭이로부터 공격을 받았어요. 원숭이가 사람을 공격하는 게 가능하다고 보십니까?」

「자연 상태의 원숭이는 그럴 수 없지요. 하지만 훈련받은 원숭이라면 가능합니다.」

「원숭이들을 훈련시킬 줄 아십니까?」

「미안하지만, 나는 원숭이들의 친구이지 조련사가 아닙니다. 반면에 반 리스베트 박사는 자기 병원 안에 영장류 동물을 위한 학교를 창설했어요. 그 여자는 콩고 산(産) 보노보 침팬지도 기르고 있어요. 원숭이들 중에서 가장 영리하고 사람과 가장 비슷한 놈들입니다. 훈련을 시키면 아주 말을 잘 듣지요. 〈미모사〉라는 병원에 가면 그녀를 만날 수 있을 거예요.」

그러면서 콩라드 교수는 뤼크레스의 어깨에 손을 얹었다. 그녀는 얼른 병원의 이름을 받아 적으라고 교수의 행동에 즉시 반응을 보이지 않았다. 사람의 수컷들은 무슨 구실을 내세워서든 피부 접촉을 하고 싶어 한다. 그녀는 수컷들의 그런 행동에 익숙해져 있었다.

「우리는 어디에서 왔는가? 나는 어디에서 왔는가? 이 질문은 아주 중요합니다. 이 질문에 새롭게 답하는 사람은 즉시 대단한 영예를 얻게 될 겁니다. 따라서 이 지식 경쟁이 진행되는 과정에서 약간의 과도한 행위가 나타나는 것은 이상할 게 없습니다.」

그렇게 말하고 나서 콩라드 교수는 손목시계를 들여다보더니, 다시 원숭이들에게 가보아야겠다면서 두 기자에게 양해를 구하고 자리를 떴다.

둘만 남게 된 뤼크레스와 이지도르는 천천히 자연사 박

물관을 더 둘러보기로 했다.

밖에는 땅거미가 들고 있었다.

그러나 전자 온도 조절 장치가 있어서 훈훈하고 수십 개의 형광등으로 환하게 밝혀진 실내에 있던 터라, 그들은 밖이 어둑어둑해지는 것도 알아차리지 못했다.

29. 목숨을 잇아 가는 밤

땅거미가 들고 있다.

그들 무리는 야영다운 야영을 준비할 겨를이 없었다. 그래서 그들은 모두 알고 있다. 잠시 후에 짙어 올 어둠이 그들의 악몽이 되리라는 것을.

빛이 스러짐에 따라 그들의 동공이 커지고 눈이 크게 뜨인다. 마지막 하나 남은 빛알갱이라도 놓치지 않으려는 것이다. 그들은 저마다 깜냥껏 나뭇가지에 자리를 잡는다.

그는 가장 높고 가장 가는 가지에 다다르기 위해 올라간다. 먼저 자리를 차지하고 있던 올빼미를 쫓아내고 마침내 우듬지 끝에 오른다. 더러는 밤에 혼자 있고 싶을 때가 있다. 딱히 이유는 알 수 없지만, 남과 같이 있어야만 밤에 두려움을 덜 느끼는 건 아니라는 생각이 드는 것이다.

어둠이 더욱 짙어지고 한기가 밀려온다. 이제 사위(四圍)가 온통 캄캄하다. 그들이 가장 두려워하는 것이 바로 이것이다. 만일 누가 그들을 관찰할 수 있었다면, 저마다 불안과 공포에 떨면서 잔뜩 웅크리고 있는 그들의 모습을 보았으리라. 바로 앞이 안 보일 정도로 짙디짙은 어둠 속에서 갖가지 짐승들의 울음소리가 점점 더 시끄러워져 간다.

하나의 감각이 서서히 둔해지면서 다른 감각이 예민해진다. 낮이 밤으로 바뀌면 그들이 주로 사용하는 감각은 시각에서 청각으로 바뀐다. 어둠이 짙어질수록 그들의 귀가 느껴지지 않을 만큼 조금씩 세워진다. 먼저 짝을 부르는 곤충들의 울음소리가 효과음처럼 들려 온다. 메뚜기, 여치, 밤 파리……. 그것들은 하나도 두려울 게 없다.

그러나 곤충들의 울음소리를 배경으로 들려 오는 거친 숨소리는 사정이 다르다. 숨소리가 거칠면 거칠수록 위험한 짐승이라는 것을 그들은 알고 있다. 가장 거친 숨소리를 내는 것은 대개 표범이다. 놈은 나무 위로 펄쩍 뛰어올라 식구들을 잡아가는 잔인 무도한 짐승이다.

그들은 밤눈이 어둡기 때문에 그런 짐승들에 대해서 무방비 상태에 있다고 느낀다. 그가 되도록 가장 높은 나뭇가지에 자리를 잡으려 하는 것은 바로 그것 때문이기도 하다. 자다가 졸지에 표범에게 목숨을 빼앗기는 일을 당하고 싶지 않은 것이다.

그들은 기다리고 있다.

그들은 무엇을 기다리고 있는 것일까?

올빼미가 운다. 전율이 스친다. 멀리에서 올빼미들이 주행성 동물들에게 앙갚음을 하자고 야행성 동물들을 부추기고 있다. 갑자기 흡혈 박쥐 한 마리가 그의 머리 위에

떨어진다. 높은 나뭇가지에서 야영을 할 때의 불편한 점이
바로 박쥐들이 성가시게 군다는 것이다. 작은 박쥐가 그의
더부룩한 머리털에 달라붙자, 그는 놈의 날개를 꺾고 발가
락을 부러뜨려 공처럼 똘똘 뭉친 다음 입에 우겨 넣고 씹
는다. 박쥐 고기는 좀 질기는 하지만, 맛은 그리 나쁘지 않
다. 그렇게 한바탕 호기를 부리고 나면 밤이 한결 덜 무섭
게 느껴진다. 박쥐는 그의 혀와 입천장 사이에서 잠시 버
르적거리다가 이에 씹힌 다음 축축한 혀에 밀려 식도로 넘
어간다.

〈먹기 위해 사는가 아니면 살기 위해 먹는가?〉라는 질
문에, 그 박쥐는 어쩌면 〈그저 먹히지나 말고 살았으면 좋
겠다〉고 대답할지도 모른다. 그러나 이미 때는 늦었다.

그들은 한편으로 잠을 청하면서도 다른 한편으로는 계
속 사위를 경계하고 있다. 꿈나라로 떠나자니 맹수의 공격
에 전혀 대응할 수 없게 된다는 게 두렵고, 깨어 있자니 하
루의 피로를 풀 수 없어서 걱정인 것이다.

거친 숨소리가 다가온다. 틀림없다. 표범이다. 모두가
꼼짝 않고 숨을 죽인다. 숨소리가 점점 더 가까이에서 들
린다. 모두가 직감으로 놈의 크기를 가늠한다. 숨소리가
조금 고르지 않다. 조짐이 좋지 않다. 놈의 숨소리가 고르
지 않다는 것은 배가 고프다는 뜻이고 그들을 발견했다는
뜻이다. 몇몇 식구들이 겁에 잔뜩 질려 그가 있는 높은 가
지로 올라온다.

그는 그들에게 다시 내려가라고 타이른다. 가지가 여럿

의 무게를 견디기에는 너무 가늘어서 자칫하여 부러지기라도 하면 다 같이 떨어질 염려가 있는 것이다. 그러나 그들은 너무 겁을 먹고 있다. 두려움은 모든 재난의 주된 원인이다. 이제 그의 나뭇가지에는 많은 식구들이 모여 있다. 그의 머리에도, 어깨에도, 팔꿈치에도 식구들이 매달려 있다.

그러다 결국 올 것이 오고야 말았다. 가지가 부러지고 모두가 나무에서 떨어진 것이다. 그것도 하필이면 표범의 주둥이 근처로 떨어졌다. 표범이 그 횡재를 놓칠 리가 없다. 놈은 가장 가까이 떨어진 자의 배를 다리로 찍어 누른 다음 덥석 물어서 유유하게 삼켜 버린다.

그는 지체 없이 다시 나무 위로 기어오른다. 〈휴, 그나마 다행이야. 하나가 없어지는 것으로 끝났으니〉 하고 그는 생각한다. 무리를 지어 산다는 것은 이래서 불편하다. 다른 구성원들의 바보 같은 짓을 참고 견뎌야 하니 말이다.

표범이 왔다 가자 그들은 안도감을 느낀다. 어둠이 그날의 제물을 거두어 갔으니 이제는 편안히 잠잘 수 있을 것 같다.

30. 우리 안에서

그들은 입장료를 내고 진화 전시관으로 들어갔다. 진화 전시관은 고생물학 전시관보다 훨씬 더 인상적이었다. 이

곳에 진열된 동물들은 정교하게 다시 꿰매어진 털가죽이나 살가죽으로 덮여 있었다.

작은 스포트라이트 두 개가 동물들의 얼굴을 비추고 있었다. 동물들은 마치 일상적인 행위를 하다가 갑자기 동작을 멈추기라도 한 것처럼 한결같이 얼이 빠진 듯한 모습이었다. 1층에는 동물들이 하나의 긴 행렬을 이루도록 진열되어 있었다. 행렬을 따라 앞으로 나아갈수록 조명이 점점 더 밝아졌다.

「선배님, 콩라드 교수에 대해서 어떻게 생각하세요?」

「비난받아 마땅한 사람이지요.」

「그가 아제미앙 교수를 죽였다고 생각하시는 거예요?」

「그보다 더 나쁜 짓을 했지요. 그는 아무 잘못도 저지르지 않은 동물원의 그 모든 동물들에게 종신 금고의 형벌을 내렸을 뿐만 아니라 여기 있는 이 모든 무고한 동물들의 살해를 정당화했어요. 이 동물들은 단지 자기들의 숲이나 초원에서 평화롭게 뛰어 놀고 싶어 했을 뿐이데 말이에요.」

뤼크레스는 그러잖아도 생각할 게 많은 터에 동물에 관한 철학적인 사색까지 하고 싶은 기분은 아니었다.

「저 진지하게 묻고 있는 거예요, 선배님.」

이지도르는 라브라도르 흰곰의 주위를 돌면서 대꾸했다.

「나도 진지하게 대답하고 있는 거예요, 뤼크레스. 어쨌거나 나는 콧수염이든 턱수염이든 얼굴에 털 기른 사람들은 믿지 않아요. 그런 사람들은 필시 뭔가를 감추고 있어요. 하다못해 턱이라도 말이에요.」

뤼크레스는 그 논리가 너무 피상적이고 일면적이라고 생각했다.

박제사(剝製師) 한 사람이 박제된 동물 앞에 발받침을 갖다 놓고 작업을 하기 시작했다. 그 동물은 조금 전에 동물원에서 우리 밖으로 손을 뻗어 뤼크레스의 머리채를 잡았던 오랑우탄과 모든 점에서 비슷했다. 박제사는 오랑우탄의 눈알을 빼내고 그 구멍에 색유리 구슬 두 개를 끼웠다. 그는 이왕 작업을 하러 온 김에 그 옆에 있는 침팬지의 털가죽을 손보기로 했다. 침팬지의 팔 부분 털가죽이 터져서 안에 든 이끼가 살짝 드러나 보이고 있었던 것이다. 그는 터진 솔기를 다시 꿰매었다.

뤼크레스는 동물 진화 행렬의 선두에 선 박제된 코끼리를 바라보았다. 마치 노아의 방주에 올라탈 채비를 하고 있는 한 무리의 동물들을 이끌고 있는 듯한 모습이었다. 밀림의 왕 사자도 행렬에 끼여 있었다. 갈기를 뒤로 젖혀 번들번들하게 칠을 해놓은 탓에 한결 더 무시무시해 보였다. 늑대와 여우의 붙박인 시선도 자못 위협적인 느낌을 주었다. 이 맹수들은 아마도 잠들어 있다가 졸지에 죽음을 맞았을 터였다. 박제사들은 그렇게 죽은 짐승들을 이렇듯 무시무시한 모습으로 보이게 하려고 애썼을 거였다.

뤼크레스의 뇌리에 문득 이런 생각이 스쳤다. 인간은 이 동물들을 구원의 방주로 데려가는 것이 아니라 소멸로 이끌고 있다. 인간이 보기에 동물에게는 더 이상 미래가 없다. 동물은 아무런 쓸모가 없다. 단지 저희의 과거를 아이들에게 알려 주기 위해서 박물관을 장식하고 있을 뿐이다. 언젠가는 동물이 완전히 사라지게 될지도 모른다.

이지도르도 그녀와 비슷한 생각을 하는 듯했다. 그곳은 단순한 전시실이 아니었다. 자연의 나머지 부분에 대한 인간의 압도적인 지배를 기리기 위해 만들어진 공동 묘지이자 정복자의 후손에게 패배자들의 초라한 모습을 보여 주기 위한 학습장이었다.

「비록 박제가 되긴 했지만, 이 동물들에게는 왠지 아직 넋이 남아 있을 것 같은 기분이 드는군요. 박제가 되어서도 우리에게 도움을 줄 수 있을 것만 같아요.」

이지도르는 그렇게 말하고는 얼룩말과 물소와 영양의 가짜 눈들을 지긋한 눈길로 번갈아 바라보며 순진한 아이처럼 물었다.

「너희들 최초의 인간을 본 적 있니?」

박제된 동물들은 대답이 없었다.

「이야기해 봐. 최초의 인간은 어떠했지? 병에 걸려서 돌연변이를 일으킨 원숭이였니? 아니면, 우연히 초능력을 갖게 된 원숭이였니?」

그때 멀리에서 울부짖는 듯한 비명소리가 들렸다. 콩라드 교수의 목소리일지도 모른다는 생각이 들었다. 그들은 서둘러 밖으로 나갔다.

비명소리가 난 곳은 영장류 구역이었다.

거기에 다다라 보니 벌써 사람들이 모여 있었다. 두 사람은 기자 신분증을 흔들면서 구경꾼들을 헤치고 들어갔다. 원숭이 우리 앞에 콘라드 교수가 의식을 잃고 쓰러져 있었다. 그와 함께 있던 비비들은 그의 머리카락을 쓰다듬으며 그를 깨워 보려고 했다. 그런 와중에도 비비 한 녀석은 그의 호주머니를 뒤져 비스킷 몇 개를 훔쳤다.

「무슨 일이 있었는지 본 사람 있어요?」

뤼크레스가 사람들을 둘러보며 물었다.

「내가 봤어요.」

한 할머니가 나서서 자기가 본 것을 이야기했다.

「하얀 가운을 입은 이 사람이 원숭이들에게 먹이를 주고 있을 때의 일이었어요. 우리 한쪽 옆의 짚을 깔아 놓은 곳에서 원숭이 한 마리가 놀고 있었어요. 다른 원숭이들보다 덩치가 크다는 것말고는 특별히 다른 점이 없었기 때문에 아무도 그 원숭이에게 관심을 두지 않았지요. 그런데, 그 원숭이가 갑자기 벌떡 일어났어요. 손에 어떤 물건이 들려 있는 걸 봤어요.」

할머니는 그 순간을 떠올리며 다시 몸서리를 쳤다.

「그건 장난감이 아니라 진짜 권총이었어요. 동작이 서툴기는 했지만 원숭이는 이 남자에게 똑바로 총을 겨누더라고요. 이 사람은 너무 놀라서 입을 벌린 채 꼼짝 않고 있었고요. 원숭이는 마치 러시안 룰렛을 하듯이 권총의 탄창을 돌리고 딱 한 번 방아쇠를 당겼어요. 그러자 이 남자는 비명을 지르기 시작했지요. 그러다가 의식을 잃고 뒤로 쓰러진 거예요.」

여러 사람들이 할머니의 얘기가 맞다고 거들었다. 그

중에는 할머니의 손자로 보이는 아주 명랑하고 똘똘한 열두 살짜리 사내아이도 끼여 있었다. 비비들이 비스킷 먹는 것을 재미있게 보고 있는데, 갑자기 그런 일이 벌어졌다는 거였다.

뤼크레스가 수첩과 연필을 손에 든 채 물었다.

「정말 원숭이가 맞아요? 혹시 원숭이 가면으로 변장한 남자를 보고 그렇게 생각하신 건 아닌가요?」

아니라고 모두가 이구동성으로 대답했다. 몸이 온통 털로 덮여 있었고, 팔만 사용해서 이 나무 저 나무로 건너뛰며 달아났다는 거였다.

누가 휴대폰으로 신고를 해서, 경찰과 응급 구조대가 동시에 도착했다. 콩라드 교수는 여전히 의식이 없는 채로 들것에 실려 갔다. 그러는 동안 경찰관들은 조금 전에 뤼크레스가 한 것처럼 주위에 있던 구경꾼들에게 무슨 일이 있었는지 이야기해 달라고 부탁했다.

두 기자는 비비들이 측은하게 낑낑거리는 소리를 뒤로하고 그곳을 떠났다.

「선배님, 이번에도 정말 원숭이였을 거라고 생각하세요?」

〈과학부의 셜록 홈스〉가 벗겨진 머리의 정수리를 긁적이면서 대답했다.

「진짜 원숭이였다면, 대단히 영리한 놈이겠지요. 권총을 지닌 채 혼자서 우리 안에 몰래 들어갈 수 있고, 러시안 룰렛 게임을 하기에 알맞은 시간을 한쪽 구석에서 참을성 있게 기다릴 줄도 알며, 여기에서 달아나 도시 어딘가에서 살아갈 능력까지 있는 놈일 겁니다.」

「대단히 영리한 원숭이라기보다 대단히 잘 훈련된 원숭이겠지요.」

「누가 소설을 흉내 내고 있는지도 모르겠어요. 원숭이를 살인자로 내세우는 속임수는 이미 에드거 앨런 포의 단편 추리 소설 〈모르그 가(街)의 살인〉에서 사용된 거잖아요?」

그 말에 뤼크레스가 이렇게 반박했다.

「에드거 앨런 포는 실제로 있었던 사건에서 그 소재를 취한 거예요.」

이지도르는 그런 사실이 있었는지는 모르고 있었다.

「나를 혼란스럽게 만드는 건 그 공격자의 유머예요. 별똥돌에 대한 자기 이론의 타당성을 확신하고 있는 천문학자는 하마터면 창 밖에서 날아 들어온 돌에 머리를 맞을 뻔했고, 인간이 우연에서 나왔다고 믿는 생물학자는 우연에 목숨을 거는 게임인 러시안 룰렛으로 협박을 당했어요. 돌에는 돌로, 우연에는 우연으로 맞서겠다는 거 아니겠어요?」

뤼크레스는 예쁜 손놀림으로 긴 머리채를 쓸어 올리고 자기가 메모한 것을 다시 읽어 보았다.

「미싱 링크가 우리 시대에 다시 태어나서 자기에 관한 모든 이론을 조롱하고 있기라도 한 것처럼 일이 이상하게 돌아가고 있어요.」

이지도르는 문득 뤼크레스의 우아한 거동에 강한 인상을 받았다. 처음으로 그녀가 여성으로 보이기 시작한 거였다. 그는 여느 때와 다른 눈으로 그녀를 바라보면서, 그녀가 참으로 아름답다고 생각했다. 그녀의 향기며 여성스런 자태가 전과는 사뭇 다르게 느껴졌다. 〈이 여자에겐 놀라운 마력(魔力)이 있다〉라고 그는 생각했다. 그렇다면 그 마력은 어디에서 오는 것일까? 대답은 금방 나왔다. 그건 생명력이었다. 뤼크레스는 생명력으로 진동하는 여자였다. 삶에 대한 열정이 그녀에게 특별한 광채를 주고 있는 거였다. 이지도르는 갑자기 바닥 모를 벼랑으로 떨어지는 듯한 기분을 느꼈다. 그가 뤼크레스에게 반한다는 건 생각만 해도 가슴이 철렁 내려앉는 일이었다. 뚱뚱한 코끼리인 내가 어떻게 이 가냘픈 새앙쥐의 매력에 무릎을 꿇을 수 있단 말인가? 이지도르는 그 작고 연약한 여자가 자기의 육중한 몸에 눌려 으스러지는 장면을 상상할 엄두조차 나지 않았다.

「무슨 생각 해요? 꿈꾸는 거예요?」

뤼크레스가 물었다.

그는 아무 대답 없이 수줍게 눈길을 낮추었다. 더 이상 그녀의 마력에 홀리지 않기 위해서.

31. 끈적끈적한 아침

암컷의 뜨겁게 달아오른 성기가 갑자기 그의 앞에 나타
났다. 잠에서 깨어나자마자 한바탕 힘을 써야 하는 아침이
될 모양이다. 말괄량이 암컷의 성기가 코밑에 있으니 말이
다. 마치 세로로 째진 입이 그를 놀리고 있는 듯하다.

거기에서 호르몬 냄새가 강하게 풍겨 나온다.

그는 그게 누구의 성기인가를 알아보기 위해 그 너머를
바라본다. 현재로선 아무 수컷도 차지하지 않은 젊은 암컷
이 바로 그 성기의 주인이다. 후끈하게 달아오른 탓에 암
컷의 발그레하게 부풀어오른 회음부가 번들거린다. 그 성
기는 흡사 살이 통통하게 오른 연보랏빛 가지 두 개가 꽁
무니에 달려 있는 듯한 모습이다. 그런 성기를 가진 암컷
은 엉덩이를 깔고 앉을 때 그 고통이 이만저만이 아닐 거
라는 생각이 든다.

말할 것도 없이 그 말괄량이 암컷은 교접을 하고 싶어
하는 것이다. 하지만 그는 별로 의욕이 없다. 그런 식으로
잠에서 깨어나자마자 교접을 할 생각은 없다. 먼저 신선한
공기도 한 사발 마시고 나뭇잎도 몇 장 씹어 먹어야 한다.

암컷은 제 몸을 긁적이며 고집을 부린다. 그는 하는 수
없이 암컷과 교접을 시작한다. 그의 거시기는 있어야 할
자리에서 움직이지만, 그의 마음은 딴 곳에 가 있다. 그의
몸놀림이 시작되자마자 암컷은 거친 숨소리를 내면서 주
위의 나뭇가지를 잡고 자발없이 흔들기 시작한다.

암컷의 몸놀림에는 활기가 넘친다. 거친 숨소리는 숫제 비명으로 바뀐다. 그 소리가 어찌나 요란한지 그는 몸을 놀리면서 귀를 막아야만 한다. 뭐 그리 대단한 일을 하는 것도 아니고 그저 수태를 위한 아침 교접을 하는 것뿐인데 굳이 이렇게 오도방정을 떨어서 온 숲의 동물들을 다 깨울 필요가 있을까?

어쨌거나 이 젊은 암컷은 지금 수태를 원하고 있고, 스스로도 그것을 알고 있는 듯하다. 십중팔구는 괴물이 도사리고 있는 동굴에 들어갔다가 가까스로 죽음을 면한 뒤로 죽음에 대한 두려움이 커졌고, 그 두려움 때문에 삶에 대한 욕구가 한층 커진 것이리라.

아, 암컷들이란…….

암컷의 뒤에 자리를 잡고 있으므로 그의 눈에는 암컷의 엉덩이가 보인다. 엉덩이의 색깔이 연보랏빛에서 붉은빛을 띤 오렌지빛으로 변한다. 이제 암컷은 나뭇가지를 더욱 세게 흔들고 있다. 그 바람에 작은 다람쥐들이 잘 여문 도토리처럼 나무에서 떨어진다. 다행히도 그 다람쥐들은 대부분 날다람쥐들이어서 땅에 떨어지기 전에 사지를 연결하는 비행막(飛行膜)을 펼친다.

아침부터 벌어진 그 소동에 모두가 무관심할 리는 없다. 젊은 수컷 하나가 나타나 그의 어깨를 툭 건드리며 결투를 신청한다. 그는 볼일을 다 보고 나서 상대해 줄 테니 잠시 기다려 달라고 부탁한다. 그러나 상대는 그를 떼밀어 암컷에게서 떼어 낸다. 기다리고 싶지 않으니 당장 한판 붙자는 것이다.

두 수컷이 맞선다. 그는 겁을 주어 상대가 싸움을 포기하게 하려고 자기 가슴을 세게 두드리고 털을 곤두세우고 이빨을 드러낸다. 그런 으름장이 먹힐까? 아니다. 상대는 싸움에 앞서 서로 으름장을 놓는 시간도 존중하지 않고 당장 그를 물어뜯고 싶어 하는 기색을 보인다.

그래서 그는 아직 발기해 있는 성기를 잡고 칼처럼 휘두른다. 하지만 그 으름장에도 상대는 기가 죽지 않는다. 상대는 약간의 손놀림으로 제 성기를 발기시킨 다음 그것을 잡고 결투에 응한다. 이리하여 두 수컷이 나뭇가지 사이에서 저희의 성기를 때로는 막대기처럼, 때로는 곤봉처럼, 때로는 채찍처럼 사용하며 서로 치고 받는 소동이 벌어진다.

그 소동을 야기한 젊은 암컷은 자기를 수태시킬 후보자들을 격려한다. 어느 수컷이 자기를 차지하게 될지는 모르지만, 싸움이 되도록 격렬했으면 하는 것이 암컷의 바람이다. 무리의 모든 식구들이 그 싸움을 구경하기 위해 달려온다.

그는 백핸드로 강력한 일타를 가하여 상대를 반쯤 기절시킨다. 다행히 거시기로 말하자면 그는 별로 꿀릴 게 없다. 상대의 거시기는 그의 것보다 짧고 뒷심이 너무 약해서, 벌써 풀이 죽기 시작한다. 젊은 암컷이 야유의 함성을 지르고 있음에도 말이다.

원칙대로라면 이 싸움은 그가 이긴 것이다. 그러나 상

대는 암컷에게 자기도 뭔가를 할 수 있다는 것을 보여 주고 싶어 한다. 그래서 무리의 규칙에 아랑곳하지 않고 그에게 달려들어 목을 조른다. 젊은것의 광기다.

그는 이제 선택의 여지가 없다. 시간과 정력을 더 이상 허비하지 않기 위해서, 그는 손날로 상대의 숨통을 후려친다. 상대가 단박에 쓰러진다. 이것은 경험과 나이의 승리다. 경험이 있고 나이가 있는 자는 흥분해서 날뛰는 젊은것을 진정시킬 줄 안다.

엉덩이가 잔뜩 부풀어오른 젊은 암컷이 고함을 지른다. 싸움이 너무 빨리 끝나는 바람에 성이 난 것이다. 수태를 하고 싶은 욕구도 크지만 싸움을 구경하고 싶은 욕구도 그에 못지않게 크다. 암컷은 단지 정자만을 원하는 것이 아니다. 피가 흐르는 것도 보고 싶은 것이다.

그는 몸을 움직이지 않고 있는 상대를 바라본다. 한순간 자기 자신에 대한 혐오감이 인다. 달리 방법이 없었다는 건 알지만, 자기가 어떤 자인지를 알리기 위해 폭력을 써야만 한다는 게 정말 싫다.

암컷은 벌써 그에게로 돌아와서 그의 얼굴에 성기를 갖다 대고 감창소리를 내지른다. 만일 아까 하다 만 일을 계속한다면, 싸움을 너무 빨리 끝낸 그를 용서할 준비가 되어 있다는 뜻이다. 바라볼수록 암컷이 귀엽다는 생각이 든다. 그는 호르몬 냄새를 맡아 보다가 다시 암컷에 올라탄다.

암컷이 골반을 돌려 8자를 그리기 시작한다. 그를 격려하려는 것이다.

32. 반 리스베트의 이론

반 리스베트는 갈색 머리의 늘씬한 여자였다. 수술용 마스크를 쓰고 있었기 때문에 가느다란 뿔테 안경 아래쪽의 얼굴은 보이지 않았다. 그녀는 실을 매만져 바늘귀에 꿴 다음, 팔딱거리는 살 속으로 두 손을 집어넣었다.

솔랑주 반 리스베트 박사는 파리 교외의 클라마르에 있는 〈미모사〉 병원의 외과 의사였다. 이지도르와 뤼크레스가 수술실 유리문 너머로 그녀를 처음 보았을 때, 그녀는 코와 팔에 대롱을 매단 채 잠들어 있는 어떤 뚱뚱한 남자의 몸 속을 한창 휘적거리고 있는 중이었다. 연보랏빛 수술복을 입은 일군의 보조자들이 그녀를 둘러싸고 있었다. 그녀의 동작은 마치 미사를 집전하기라도 하는 것처럼 차분하고 빈틈이 없었다. 그녀가 이따금 보조자들에게 손을 내밀면, 아무 말을 하지 않아도 적절한 니켈도금 도구가 그녀의 손에 건네지곤 했다. 수술이 끝나 가고 있었다. 여의사는 흡사 무슨 그릇의 뚜껑을 닫듯이 사람의 살갗을 도로 꿰매었다.

두 기자는 그녀가 장갑과 마스크를 벗고 세면대에서 손을 박박 문질러 닦고 있을 때 그녀에게 다가갔다. 그들이 『르 게퇴르 모데른』에서 나온 기자들이라고 스스로를 소개하자, 그녀는 그들의 질문에 대답하겠다는 뜻을 밝혔다.

마스크를 벗은 그녀의 얼굴은 근엄한 인상을 주었다. 그녀의 쏘는 듯한 시선은 그녀가 기질이 강한 여자임을 느

끼게 했다. 그녀는 옷을 갈아입고 올 테니 기다려 달라고
하더니, 이내 돌아와서 구내의 카페테리아로 가자고 제안
했다.

복도에는 타월 천의 가운을 입고 돌아다니는 환자들이
많았다. 석유로 떼돈을 번 아랍의 토후든 유명한 록 가수
든 인기 영화배우든 그들은 모두 검은 선글라스를 끼고 있
었으며, 극성스런 팬들이나 정적(政敵)들이 거기까지 쫓
아올 경우에 대비해서 대개는 경호원들을 대동하고 있었
다. 그들 모두의 마음을 밝게 해주려는 듯 경쾌한 음악이
복도에 울려 퍼지고 있었다. 지나치게 비싼 수술비와 입원
비를 낼 수 있는 사람들에게 〈미모사〉 병원은 호사와 평온
의 상징이었다.

복도와 복도가 교차하는 곳에는 〈수술 병동〉, 〈휴게실〉,
〈실험실〉, 〈CIRC〉 하는 식으로 방향을 안내하는 표지판
이 있었다. CIRC의 표지판에는 〈관계자 이외에는 출입을
금합니다〉라는 말이 덧붙어 있었다.

이지도르는 여의사에게 CIRC가 무엇의 약자냐고 물어
보았다.

「이식 조직 및 세포 연구소[14]예요. 이곳에서 연구자들
이 최첨단의 이식 기술을 개발하여 〈미모사〉 병원을 세계
적으로 유명하게 만들고 있지요. 우리가 이식 수술 이후에
나타나는 세포 조직의 내성에 관한 한 세계 제일의 병원이

---

14) Centre d'Implants et de Recherche sur les Cellules.

라고 주장할 수 있는 것도 바로 이 연구소 덕분이에요.」

「대단히 비싸겠어요. 여기에서 수술 받으려면…….」

뤼크레스가 벽을 장식한 거장들의 그림 몇 점을 보면서
말했다.

「비싼 건 사실이에요. 하지만 순수 연구 분야에서 모든
경쟁자들을 제치고 앞서가자면 돈이 반드시 필요해요. 공
공 병원들에서 행하는 이식 수술의 성공률이 60퍼센트임
에 비해서, 우리 병원의 성공률은 75퍼센트입니다. 그러
다 보니 전세계에서 환자들이 쇄도하게 되고 수술비도 비
싸지게 되죠.」

그들은 화려한 카페테리아에 도착하여 〈폴리스티렌 컵
에 마시는 커피〉의 의식에 참여하였다. 커피는 별로 맛이
없었다. 그러나 여의사는 아주 흡족해 하며 마셨다. 그 쌉
쌀하고 따뜻한 커피가 수술하는 동안 팽팽하게 긴장되어
있었던 신경을 느즈러지게 해주는 모양이었다.

여의사는 담배 한 개비를 빼어 물고 담배 연기를 아주
깊이 빨아들이기 시작했다. 마음을 가라앉히는 니코틴으
로 허파를 가득 채우려는 거였다.

「이제 얘기를 시작해 볼까요? 저희의 질문은 간단한 거
예요. 우리 인간은 어디에서 왔습니까?」

뤼크레스가 그렇게 허두를 떼었다.

여의사는 농담으로 대꾸할까 진지하게 대답할까를 놓
고 잠시 망설였다. 이윽고 그녀는 남은 커피를 단숨에 다
마셔 버리고 말문을 열었다.

「아실지 모르지만, 내 이력은 상당히 특별합니다. 나는 주로 외과 의사가 되기 위한 교육을 받았지만, 한편으로는 세포 생물학 공부도 착실하게 했어요. 이식 수술을 전문으로 하기 위해서였지요. 세포의 생성과 조직 방식, 세포들 사이의 내성 등에 깊은 관심을 갖고 연구하면서, 왜 어떤 세포들은 서로를 받아들이고 어떤 세포들은 서로 배척하는지 그 이유를 알게 되었어요. 가시죠, 보여 드릴 게 있어요. 두 분의 흥미를 끌 만한 거예요.」

여의사는 자기를 따라오면서 두 기자를 동물 우리와 수족관이 나란히 늘어서 있는 실험실로 데리고 갔다. 그녀는 어항 하나를 가리키면서 안을 자세히 들여다보라고 권했다. 두 기자는 그녀가 하라는 대로 어항 안을 들여다보았다. 베이지색의 작은 점들이 움직이고 있었다.

「우리가 어디에서 왔는지 알고 싶다고 했지요? 바로 여기에서 온 겁니다.」

여의사는 작은 대롱을 하나 들고 생명으로 가득한 물을 조금 빨아올렸다.

「우리는 이 박테리아, 이 단세포생물에서 나왔어요. 이들은 수백만 년 동안 지구를 지배했어요. 그러다가 변이(變移)가 일어났지요. 짚신벌레에서 물고기가 된 거예요.」

그 어항보다 큰 수족관 하나에는 작은 관상용 열대어인 구피들이 들어 있었다. 반 리스베트는 물푸개 하나를 집어 들고 다른 수족관에서 에인절피시 한 마리를 건져 올려 구피들의 수족관에 넣었다. 구피보다 더 크고 공격적이며 이가 더 잘 발달된 에인절피시가 구피들을 물기 시작했다.

반 리스베트는 2주 후에 돌아와 보면 구피 수컷들의 색깔이 달라진 것을 확인하게 될 거라고 말했다.

「구피들은 천적인 에인절피시의 주의를 끌지 않으려고 넓은 꼬리의 알록달록한 빛깔을 눈에 잘 띄지 않는 빛깔로 바꿀 거예요. 자기들의 환경을 교란하는 그 새로운 요인에 적응하기 위해 자기들의 기관을 변화시키는 것이지요. 에인절피시가 이 수족관에 남아 있는 한, 알록달록한 꼬리를 가진 새끼 구피들은 생기지 않을 거예요. 진화는 이런 식으로 이루어지는 겁니다. 그리고 지금 우리가 보고 있는 것처럼 진화의 과정을 저속도 촬영 화면을 보듯이 직접 관찰하는 것이 가능합니다. 만일 이 수족관에서 에인절피시를 꺼내면, 구피 수컷들은 암컷들의 주의를 끌기 위해서 본래의 색깔을 되찾게 될 거예요.」

반 리스베트의 설명이 이어졌다.

「결국 외부 환경의 변화가 세포의 변화를 강요하는 겁니다. 사람의 경우도 마찬가지예요. 선행 인류가 환경에 적응하는 과정에서 사람이 된 거지요.」

「환경의 어떤 〈교란 요인〉에 적응한 걸까요?」

「리프트 밸리, 곧 지층이 내려앉아 생긴 계곡에 적응한 거예요. 리프트 밸리가 기후의 변화를 가져왔고, 그 변화 때문에 최초의 선행 인류는 숲이 없는 사바나 지역에서 살 수밖에 없었어요. 그렇게 되자, 천적을 피해 나무로 기어

올라가는 것이 불가능하게 되었지요. 그래서 그들은 초원의 웃자란 풀 너머로 멀리서 천적이 오는 것을 볼 수 있도록 몸을 일으켜 세워야만 했어요. 공격받는 것에 대한 두려움 때문에 그렇게 몸을 일으킴으로써, 그들은 〈보통때는 나무에 살다가 예외적인 경우에만 두 다리로 다니는 동물〉에서 〈보통때는 두 다리로 다니다가 예외적으로 나무에 올라가는 동물〉이 된 거죠.」

천적에 대한 두려움……. 뤼크레스는 아제미앙 교수의 서재에서 본 진화에 관한 그림을 떠올렸다. 새끼 물고기가 어미 물고기에게 물은 것처럼, 정말 물 밖으로 나간 물고기들은 어떤 자들일까? 진화한 자들은 어떤 자들일까? 불안을 느낀 자들, 두려움을 느낀 자들, 불만을 느낀 자들, 세계가 변하기를 바랐던 자들. 뤼크레스는 거기에 망상증에 걸린 자들을 추가할 수 있으리라고 생각했다. 도처에서 위험을 발견했던 자들, 또는 장차 닥쳐올 문제들을 앞질러 경험하려 했던 자들을.

반 리스베트는 허리를 구부려 원숭이의 구부정한 자세를 흉내 내며 설명을 덧붙였다.

「뒷다리로 버티며 몸을 일으킨다는 것은 앞다리가 자유로워진다는 것을 뜻합니다. 막대기를 잡아 무기로 사용할 수 있는 손이 생기는 것이지요. 직립 자세가 가져온 변화는 그것말고도 많아요. 뼈대에 생기는 변화를 예로 들어 볼까요? 직립 자세를 취하면 골반이 아래로 내려가면서 아랫배의 장기를 떠받들게 되오. 또 그전에는 척주와 두개골의 접합이 수평 방향으로 이루어졌는데, 직립 자세와 함께 그 접합이 수직 방향으로 바뀌면서 뇌의 용적이 커지게 돼요. 뇌가 더 이상 척수의 방해를 받지 않게 되니까요. 그리하여 뇌의 용적은 2백만 년에 걸쳐 4백50cm³에서 1천 cm³로 커졌고, 그 뒤로 다시 1천4백50cm³까지 커져서 오늘에 이르고 있습니다.」

그러면서 반 리스베트는 크기가 다른 여러 두개골을 가리켰다.

이지도르가 물었다.

「사람에게서 털이 거의 없어진 이유는 무엇일까요?」

「그것도 적응의 결과예요. 새끼가 어미의 배에 매달리려면 털이 필요해요. 하지만 어미가 새끼를 품에 안을 수 있으면 털이 필요 없게 되지요. 머리에 털이 남아 있는 것은 태양으로부터 머리를 보호하기 위한 게 아니었을까요?」

「그럼 눈썹은요?」

「그건 비가 올 때 작은 스펀지 구실을 하라고 남아 있는 것일 테지요.」

반 리스베트 박사가 말한 이론은 〈변이설〉이라 불리는 것으로서 1815년에 프랑스의 박물학자 라마르크가 주창한 것이었다. 반 리스베트의 주장에 따르자면, 라마르크는 근대적인 고생물학의 진정한 창시자였다.

뤼크레스는 다윈주의에 관한 콩라드 교수의 이야기를 떠올리며 물었다.

「라마르크주의와 다윈주의 사이에는 어떤 차이가 있나

요?」

「다윈주의자들의 견해에 따르면, 인간은 직립 자세를 가능케 하는 유전자를 우연히 갖게 된 동물입니다. 그에 반해서, 어떤 동물이든 필요하다면 자기 유전자를 변화시킬 수 있다는 것이 라마르크주의자들의 생각이지요.」

반 리스베트는 가볍게 미소를 지으며 이렇게 결론을 지었다.

「음, 쉽게 말하면 이래요. 라마르크의 견해는 누구든 더욱 나아지리라는 희망을 간직할 수 있다는 것이고, 다윈의 생각은 누구든 잘못 태어나면 희망이 없다는 거지요.」

이웃한 방에는 동물들의 배(胚)를 포르말린 용액에 담가 놓은 표본병들이 여러 개 있었다. 사람의 태아는 물론이고 도마뱀과 원숭이와 여러 포유류의 배도 있었다.

「아홉 달 동안의 성장 과정에서 태아는 종의 역사를 되풀이합니다.」

두 기자는 여의사와 함께 방을 한 바퀴 돌면서 표본병에 담긴 것들을 살펴보았다. 어떤 표본병에서는 단지 분홍빛의 작은 부유물 같은 것만 눈에 띄었다. 그것은 수정된 지 6일밖에 안 된 태아로서 모든 점에서 조금 전에 보았던 원생동물과 비슷했다. 그 옆의 표본병에 담긴 12일 된 태아는 조금 길어진 형태에 두 눈이 달려 있었다.

반 리스베트가 말했다.

「이거 새끼 물고기와 비슷하지 않아요? 처음에 우리는 물고기였어요. 31일이 되면 태아는 도마뱀과 비슷해지고,

9주가 되면 새끼 뾰족뒤쥐와 비슷해지며, 18주가 되면 새끼 원숭이와 아주 흡사해지지요.」

뤼크레스는 깊은 관심을 보이며 열심히 받아 적고 있었다. 이지도르 역시 아주 진지하게 듣고 있다가 중얼거렸다.

「그러니까 우리 인간은 저마다 태어나기 전부터 인류 역사 이전의 모든 사건들을 요약된 형태로 되풀이하는 셈이군요.」

그 중얼거림에 답하듯, 뤼크레스가 속삭였다.

「숫자의 신비에 관한 이야기가 생각나는데요. 1, 2, 3, 4, 5. 그 숫자들이 상징하는 생명 진화의 모든 단계를 우리는 태어나기 전부터 경험하는 거예요.」

「예? 뭐라고요?」

여의사가 두 사람의 속삭임에 궁금증을 느끼며 물었다.

뤼크레스는 몸을 돌려 그들 뒤의 커다란 우리에 갇힌 살아 있는 원숭이들을 가리켰다.

「여기 이 원숭이들은 무엇에 쓰려고 기르는 거죠?」

「이식 수술을 위한 거예요. 사람이 가진 유전자의 99퍼센트는 사람과 침팬지에 공통되는 것입니다. 따라서 침팬지의 어떤 기관을 적출해서 그것으로 사람의 병든 기관을 대체하는 것은 가능한 일이지요. 동물에서 적출한 기관을 가지고 이식 수술을 하는 경우가 많아지게 되면, 장기(臟器) 은행에 도움을 청할 필요가 그만큼 적어지게 되겠지요. 그러면 장기를 둘러싸고 벌어지는 갖가지 과도한 행태들도 줄어들 거고요.」

「과도한 행태라니요?」

뤼크레스가 깜짝 놀라며 물었다.

「제3세계 나라들에서는 가난한 사람들이 단지 먹고 살기 위해서 콩팥이며 허파며 각막 따위를 차례차례 팔고 있답니다. 그런가 하면, 부랑자를 습격해서 장기를 빼앗은 다음 그것을 악덕 의사들에게 파는 강도들도 있다고 들었어요. 수요는 많고 공급은 너무 달리기 때문에 그 모든 거래가 생겨나는 거 아니겠어요? 결국 자발적인 기증자들이 태부족한 상황을 건전하게 타개하는 길은 침팬지처럼 사람과 유전자가 거의 비슷한 동물들의 장기를 인체에 이식하는 방법밖에 없어요.」

「하지만 침팬지라고 해서 다 똑같은 건 아니지 않습니까?」

「그래요. 침팬지 중에서 유전자의 99.3퍼센트를 사람과 공통적으로 가지고 있는 것은 콩고의 보노보뿐이에요. 그 침팬지의 장기로 이식 수술을 하면 성공할 가능성이 더 크지요. 그래서 우리는 보노보를 연구하는 데에 노력을 집중시키고 있습니다.」

반 리스베트는 어린 보노보 한 마리를 우리에서 꺼냈다. 그 침팬지는 즉시 응석받이 어린아이처럼 그녀의 품에 와서 안겼다. 그러더니 뤼크레스 쪽으로 몸을 기울여 그녀의 긴 머리카락이 가발이라도 되는 양 제 머리에 갖다 대며 장난을 쳤다.

「보노보는 대단히 영리한 원숭이예요. 이들은 무리를

지어서 살고 집단 내에 갈등이 생기면 놀이와 섹스를 통해 해결하지요. 틈만 나면 장난칠 생각을 하는 녀석들이에요. 그게 바로 지능이 높다는 증거지요.」

반 리스베트는 그 새끼 보노보에게 작은 공 하나를 내밀었다가 두 손을 등뒤로 돌려 한 쪽 손에 공을 감춘 다음 다시 앞으로 내밀었다. 어린 침팬지는 어느 손에 공이 들었는지를 알아내려고 애를 쓰다가 마침내 그것을 알아내자 가벼운 환호성을 질렀다.

「불행하게도 보노보는 소멸의 길을 걷고 있어요. 보노보는 콩고에서만 찾아볼 수 있는데, 거기 사람들은 그 원숭이를 별미로 생각하고 잡아먹지요. 그래서 우리는 보노보들을 이곳에 가두어 놓고 번식시키려고 하는 거예요. 문제는 보노보가 자연에서 제멋대로 사는 삶만을 받아들이려 한다는 데에 있어요. 이렇게 갇혀 있는 상태에서는 기분이 아주 좋을 때만 번식하는 것을 받아들이려고 하지요. 그리고 이 침팬지가 좋은 기분을 갖게 하려면 끊임없이 신선한 자극을 주어야만 해요.」

반 리스베트는 두 기자를 인접한 방으로 데리고 갔다. 그곳은 침팬지들의 놀이방이었다. 거기에 있는 우리의 문에는 암호 자물쇠가 달려 있기 때문에, 원숭이들은 우리에서 나오고 싶으면 〈조리 있는 문장〉을 만들어 암호 자물쇠를 열어야 했다.

「〈조리 있는 문장〉이라는 게 뭐죠?」

「주어와 동사와 목적어를 포함하고 있는 문장이에요.

물론 단어는 그림 문자로 대체되어 있지요.」

아닌 게 아니라 암호 자물쇠의 문자판에는 원숭이의 머리, 바나나, 이러저러한 물건들의 그림이 들어 있었다.

다른 우리 안의 원숭이들은 자기들이 선택한 먹이를 얻기 위해 암호 자물쇠와 씨름하고 있었다.

「보노보는 정신이 자극을 받으면 기분이 좋아져서 교접하는 것을 받아들입니다. 그에 반해서 스스로가 동물원 같은 곳에 갇혀 있다고 느끼면 우울증을 보이면서 시름시름 죽어 가지요. 이 보노보들은 여기에 마련된 갖가지 놀이 기구들을 가지고 놀면서 자기들이 계속 진화하고 있다고 믿을 것입니다. 이 놀이방은 그런 목적으로 만들어진 것이지요.」

실제로 그들 주위에 있는 보노보들은 대부분 활기가 넘쳐 보였다. 어떤 녀석들은 사람이 들어오는 것을 보자 자물쇠 가지고 노는 것을 중단하고 틈입자들의 행동을 관찰하였다. 그 눈빛은 성가시게 느껴질 만큼 호기심으로 가득 차 있었다.

이지도르가 화제를 돌렸다.

「〈우리는 어디에서 왔는가?〉라는 클럽의 회원이시지요? 아제미앙 교수와도 친분이 있으셨을 테고요.」

「그래요. 그 사람하고 알고 지냈어요.」

「그냥 알고 지낸 정도가 아니지요. 교수가 이혼한 뒤에 몇 달 같이 사신 적도 있지 않습니까?」

「사실이에요. 그런데, 그걸 어떻게 알았지요?」

이지도르가 빙그레 웃었다.

「그 점에 대해서는 전혀 아는 바가 없어요. 그냥 해본 소리예요.」

반 리스베트는 그쯤에서 얘기를 대충 얼버무리고 싶어 하는 듯했다.

「다 지난 이야기예요. 우리는 벌써 오래전에 헤어졌어요. 그렇다고 헤어진 뒤에 서로 원수처럼 지낸 건 아니에요. 그 사람이 살해되었다는 소식을 듣고 깜짝 놀랐어요.」

그녀는 이야기를 중단하고 두 기자의 얼굴을 살폈다. 마치 두 사람을 믿어도 되는가 어떤가를 알아보려고 그러는 것 같았다. 그녀가 잠시 머뭇거리다가 말을 이었다.

「내가 더욱 놀랄 수밖에 없는 건 나 역시 여러 차례 협박 편지를 받고 나서 최근에 석연치 않은 일을 겪었기 때문이에요.」

「무슨 일인데요? 저희에게 이야기해 주시죠.」

이지도르가 부드러운 목소리로 부탁했다.

사건은 그 전날 저녁에 일어났다. 솔랑주 반 리스베트는 보노보 침팬지 한 마리를 새로운 자물쇠를 장치한 우리 안으로 들이는 일에 한창 몰두해 있었다. 그때 갑자기 그녀가 모르는 커다란 원숭이 한 마리가 나타났다. 원숭이는 그녀를 우리 안에 가두려는 듯 문을 홱 닫더니 자물쇠의 암호를 뒤죽박죽으로 만들어 놓고 달아나 버렸다. 놈은 분명히 〈미모사〉 병원에서 기르는 원숭이가 아니었다. 병원의 원숭이라면 그녀가 모를 리 없었다. 그녀는 한동안 자물쇠와 씨름하였다. 평소에 자물쇠의 암호로 사용하는 문장들을 가지고 하나하나 시도해 보았지만 헛일이었다.

「어쩌면 원숭이가 아니라 원숭이로 가장한 사람일 수도 있지 않을까요?」

뤼크레스의 물음에 여의사는 있을 법한 일이라고 대답했다. 그자를 찬찬히 살펴볼 겨를이 없었기 때문에 원숭이가 아니라 사람이었다고 단정할 수는 없지만, 암호를 헝클어 놓기 위해 선택한 문장은 우수한 지능을 가진 자만이 생각할 수 있는 것이었다.

「그 문장이 뭐였는데요?」

「〈원숭이는 사람을 사랑한다〉예요. 솔직히 말하자면, 그 문장을 찾아낸 건 내가 아니라 나와 함께 우리 안에 갇혀 있던 보노보 침팬지였어요.」

반 리스베트는 생체 해부에 반대하는 단체에서 그런 못된 장난을 친 게 아닐까라는 생각을 하고 있었다. 그녀의 책상 서랍에는 〈동물들을 괴롭히지 말고 가만히 내버려 둬라〉, 〈당신이 동물들에게 한 짓을 당신도 똑같이 당하게 될 것이다〉, 〈인간은 동물들에게 겪게 한 운명을 그대로 겪게 될 것이다〉라는 식의 협박 편지들이 하나 가득 들어 있었다.

「사람을 대상으로 하는 실험을 피하기 위해서는 동물 실험이 불가피한데, 이들은 그걸 이해하지 못하고 있어요.」

「당신에게 장난을 친 그자가 어떻게 달아났나요?」

이지도르가 물었다.

「창문이 열려 있었어요. 사람인지 원숭이인지 모를 그 자는 펄쩍 뛰어 창문으로 빠져나가더니 두 팔을 이용해서 이 가지로 저 가지로 건너뛰며 달아났어요.」

「정말 이 병원의 보노보 침팬지가 아니었다고 확신하십니까?」

「예, 틀림없어요. 우리 보노보들은 한 마리도 빠짐없이 지금 여기에 다 있어요. 게다가 문제의 그 원숭이는 침팬지보다 조금 커 보였어요.」

이지도르는 창 밖으로 고개를 내밀어 병원의 뜰을 바라보았다. 우뚝하게 솟은 나무 한 그루가 담 위로 가지를 드리우고 있었다. 가장 낮게 드리운 가지라도 화단에서 2미터 가까이는 올라와 있는 것으로 보였다. 꽃이 피어 있는 화단에 누가 밟고 지나간 흔적이 있지 않을까 해서 이리저리 살펴보았지만, 밟힌 자국은 전혀 보이지 않았다.

「만일 그자가 사람이었다면, 하다못해 재능 있는 곡예사 정도는 될 거예요.」

「곡예사라고요? 그 생각을 미처 못 했군요.」

그러면서 반 리스베트는 눈썹을 찡그렸다.

「곡예사…… 그 곡예사가 여자일 수도 있지 않을까요? 아제미앙 교수의 전 부인은 젊었을 때 서커스를 한 적이 있어요. 클럽 〈우리는 어디에서 왔는가?〉에도 자주 나왔던 여자예요.」

「그 여자 이름이 뭐예요?」

뤼크레스가 볼펜을 꼭 쥐며 물었다.

「소피 엘뤼앙이에요. 부유한 상속녀죠. 돌아가신 아버지의 회사를 물려받아 사업을 하고 있지요. 두 분도 틀림없이 이런 광고를 보거나 들으신 적이 있을 거예요. 〈엘뤼앙이 만드는 햄과 소시지, 유구한 전통의 맛을 사랑하는 이들이 즐겨 찾는 식품입니다〉 하는 광고 말이에요. 그 광고 포스터에 실린 인물이 바로 아제미앙 교수였고, 라디오 광고에 나오던 음성도 바로 그의 목소리였어요. 두 사람은 하나의 계약을 맺었던 거예요. 그의 아내는 그의 연구와 고생물학 발굴 작업에 돈을 대고, 그 대신에 아제미앙은 엘뤼앙 사(社) 제품을 위해 자기의 기품 있는 학자 이미지를 제공하기로 한 거지요.」

「하지만 얼마 전부터 그 광고가 보이지 않던데요.」

뤼크레스가 토를 달았다.

「당연하지요. 두 사람 사이가 틀어지고 파경을 맞게 되면서 그 계약이 깨진 거죠. 두 사람 사이가 벌어진 데에는 이유가 있어요. 아제미앙이 차츰차츰 열성적인 채식주의자로 변해 갔던 거지요. 그러니 그 아내의 기분이 어떠했겠어요? 자기는 돼지고기 가공 회사의 사장인데, 남편이라는 자가 채식주의의 사도가 되었으니 말이에요.」

뤼크레스가 자기 수첩을 들여다보며 물었다.

「소피 엘뤼앙이라는 이름은 클럽 〈우리는 어디에서 왔는가?〉의 회원 명단에 들어 있지 않은데요.」

「그 여자는 정식 회원이 아니라 단지 초대 손님 자격으로만 회의에 참석했기 때문이에요. 학문하고는 거리가 먼 여자지요. 어쨌거나 그녀가 한때 곡예사였던 것은 확실해요. 그 여자라면 팔 힘을 이용해서 이 가지에서 저 가지로 옮겨 다니는 것이 얼마든지 가능할 거예요.」

33. 이 가지에서 저 가지로

그는 펄쩍 뛰어서 한 가지에서 다른 가지로 옮겨간다. 그는 교접이 끝난 뒤에 그런 식으로 돌아다니는 것을 무척 좋아한다. 하지만 이번엔 단순한 산보가 아니다. 그는 사냥에 참여하고 있는 것이다.

앞장을 선 다른 지배적 수컷들의 모습이 보인다. 그들 역시 팔을 쭉 뻗어 갈고리처럼 구부린 손으로 나뭇가지를 잡고 다리를 흔들면서 빠르게 나아가고 있다. 이렇게 팔 힘을 이용해서 이 가지에서 저 가지로 옮겨 가면 땅에서 뛰는 것보다 훨씬 빨리 이동할 수 있다.

눈으로 나뭇가지의 한 지점을 겨냥하고 손으로 잡을 곳을 가늠하기만 하면 그들의 무게중심은 벌써 앞으로 쏠린다. 아주 빨리 이동할 때는 나뭇가지를 일일이 잡지 않고 손가락으로 가볍게 스치기만 한다. 마치 나뭇가지를 애무하기라도 하는 것처럼 말이다. 그럴 때 그들은 공중을 날고 있는 듯한 착각에 빠지곤 한다. 하지만 자칫하다 떨어지면 척추가 부러질지도 모르기 때문에 약간의 두려움은 늘 따라다닌다. 그들이 매달리는 무수한 가지들 중에 벌레 먹은 가지가 단 하나만 있어도 추락할 염려가 있다. 그도 그런 일을 한번 당한 적이 있다. 가까스로 덩굴나무를 붙잡아 위기를 모면하기는 했지만 말이다.

지배적 수컷들이 나무 사이로 미끄러지듯 나아가고 있다. 그들은 사냥감을 찾기 위한 하나의 정찰대를 이루고 있다. 그들은 그렇게 공중을 날아다니면서도, 살아 움직이는 단백질 덩어리를 찾기 위해 수시로 아래를 살핀다. 그날은 별로 눈에 띄는 것이 없다. 재칼도 하이에나도 없고, 토끼도 영양도 보이지 않는다. 전날의 천둥비와 화재 때문에 인근의 사냥감들이 모두 달아나 버린 모양이다. 암컷들과 어린 식구들에게도 먹을 것을 갖다 주어야 하는데 이일을 어쩐다지? 그의 배에서 꼬르륵 소리가 나기 시작한다. 빨리 채워 주지 않는다고 불평하고 있는 것이다.

아 도대체 먹이가 어디에 숨어 있는 거지?

그의 귀가 번쩍 뜨인다. 어디선가 토끼의 낑낑대는 소리가 들린다. 그러나 그들이 토끼에게 달려들 새도 없이 독수리 한 마리가 나타나 토끼를 먼저 채어 간다. 먹이를 둘러싼 경쟁은 이토록 치열하다. 그들은 분한 마음을 이기지 못해 이동하기를 멈추고 나무에 매달린 채 서로를 바라본다.

〈먹어야 한다. 무슨 수를 써서라도 먹어야 한다. 입에 먹이를 가득 넣고 씹는 그 굉장한 느낌을 되찾기 위해서라면 무슨 일인들 마다하랴?〉 하고 그들은 생각한다.

그의 몸이 고통스러워짐으로써 그를 벌하고 있다. 그가 빨리 먹이를 찾지 못하면, 곧 그의 근육에 독소가 가득 찰 것이다. 허파가 뜨거워지고 위가 따끔거리고 창자가 꼬이는 듯하다.

먹어야 한다. 먹을 것을 찾아야 한다.

한시라도 빨리.

34. 고기의 제국

응접실 창문 너머로 트럭들이 보였다. 소시지, 햄, 리예트,[15] 순대 등 엘뤼앙 사가 전문적으로 생산하는 가공 식품들이 트럭마다 가득 쌓여 있었다. 급속 냉동, 냉동, 소금에 절이기, 통조림, 진공 포장, 냉동 건조, 탈수 등 갖가지 방식으로 처리된 식품들이었다. 트럭의 옆쪽 차체에는 환하게 웃고 있는 돼지 한 마리가 그려져 있었다. 그 돼지는 동굴에 살던 원시인의 복장을 하고 엘뤼앙 사의 광고 문구를 외치고 있었다. 〈엘뤼앙이 만드는 햄과 소시지, 유구한 전통의 맛을 사랑하는 사람들이 즐겨 찾는 식품입니다.〉

짭짤한 단백질 덩어리를 트럭에 싣기도 하고 부리기도 하는 그 부산한 움직임은 언제까지라도 계속될 것만 같았다.

---

15) 돼지고기를 잘게 다져 기름에 지진 가공 식품.

응접실 벽에는 곡예사들의 사진이 붙어 있었다. 세 사람이 서커스 복장을 하고 찍은 사진이 눈길을 끌었다. 정글에서 갓 나온 〈제인〉 같은 젊은 여자가 얼룩덜룩한 점무늬가 박힌 옷을 허리에 두른 〈타잔〉과 가짜 모피로 고릴라처럼 변장한 사내를 대동하고 찍은 사진이었다. 아마도 그 젊은 여자가 소피 엘뤼앙인 듯했다. 서커스 장에서 관객들 위로 아슬아슬하게 날아가는 장면이나 손끝으로 공중 그네에 매달려 있는 장면 등과 같이 한창 공연을 벌이고 있는 그들의 모습을 담은 사진들도 더러 있었다.

어디선가 기계의 윙윙거리는 소리가 들려 왔다. 몸에 딱 붙는 정장 차림의 오동통한 여비서가 나타났다.

「사장님이 지금 바쁘셔서 좀 기다리셔야 되겠네요.」

「얼마나 기다리면 될까요?」

「글쎄요. 두 시간 정도면 될 거예요.」

여비서의 대답에 뤼크레스가 자리에서 벌떡 일어나며 따지듯이 말했다.

「예? 아니, 어떻게…….」

그때, 회색 작업복을 말쑥하게 차려 입은 한 젊은이가 응접실 문을 빠끔히 열더니, 자기가 소피 엘뤼앙의 동생인 뤼시앵 엘뤼앙이라면서, 자기 누나가 그들을 맞아들일 수 있을 때까지 공장을 구경시켜 주겠다고 제안했다. 뤼크레스와 이지도르는 잠시 망설이다가, 달리 할 일도 없고 해서 그의 제안을 받아들였다.

밖으로 나오자, 뤼시앵 엘뤼앙은 자기 손님들을 작은

전기 자동차에 오르게 했다.

공장은 도로와 표지판과 창고 같은 건물의 작업장들을 갖춘 하나의 마을 같았다. 어떤 건물에서는 창자 다발을 수북하게 담은 커다란 나무통을 운반하는 노동자들이 나오고 있었고, 또 어떤 건물에는 돼지 비계가 산더미처럼 쌓여 있고 거기에 삽들이 꽂혀 있었다.

뤼시앵 엘뢰앙은 〈사육장〉이라는 커다란 표지판 앞에서 전기 자동차를 세웠다. 표지판 뒤의 거대한 건물에서 냄새가 거의 없는 하얀 김이 피어 오르고 있었다. 안으로 들어가자, 가축을 운반하는 일에 몰두해 있는 수백 명의 종업원과 수십 대의 트럭이 보였다.

젊은이가 말문을 열었다.

「우리 가족 회사에서 일을 시작하기 전에, 저는 보통의 도살장에서 일을 배웠어요. 그래서 우리 나라의 도살장이 얼마나 끔찍한지를 누구보다 잘 알지요. 거기에서는 소를 잡을 때 5킬로그램짜리 망치로 머리를 한 방에 때려서 죽여요. 그런 일을 매일같이 한다면 사람 꼴이 어떻게 될지 한번 생각해 보세요. 누구든 종당에는 미쳐 버리지 않겠어요? 맨 정신으로는 일을 할 수가 없어요. 그래서 사람들은 술기운을 빌리기 시작하지요. 술을 마시면 마실수록 그들의 손놀림은 서툴러집니다. 그러다 보면 겨냥을 제대로 못해서 급소가 아닌 엉뚱한 곳을 때리는 일이 자주 생기지요. 망치에 설맞은 소가 두개골이 반쯤 함몰된 채 애처롭게 울면서 도살장 마당을 가로질러 달아나는 장면을 상상해 보세요. 난리도 그런 난리가 없어요.」

뤼크레스는 그 처참한 장면을 상상하면서 이를 꽉 물었다. 엘뤼앙은 자기 이야기가 그 젊은 여인에게 약간의 감명을 주었다는 것에 적이 만족해 하며 이야기를 계속했다.

「옛날의 도축업자들은 새로운 일꾼이 들어오면 일종의 신고식 같은 입문 의식을 거행했어요. 그들은 신참자에게 갓 잡은 짐승의 따끈따끈한 피를 한 대접 따라 주면서 단숨에 마시게 했지요. 신참자에게 채찍질을 했던 건 말할 것도 없고요.」

이지도르가 그의 이야기에 끼어들었다.

「그러면 일하는 사람들이 자주 바뀌겠군요.」

「그렇지요. 신경이 예민한 사람들은 오래 버틸 수가 없었지요. 떠나지 않고 남는 사람들은 미치지 않기 위해서 결국 그 일을 천직으로 받아들이고 그 일에서 즐거움을 찾게 마련이었지요. 그들은 자발적으로 가축들을 학대했어요. 망치로 때리는 건 말할 것도 없고 살아 있는 짐승을 다리 하나로 매달아 며칠 내내 걸어 두는 일도 예사로 했지요. 그 일은 그렇게 탁 까놓고 잔인하게 굴어야만 버텨 낼 수 있는 일이었어요. 하지만 그런 관행은 이제 거의 사라졌어요. 동물 애호가들이 반대했던 탓도 있지만 그보다는 우리가 먹는 고기에 대한 생각이 달라졌기 때문이지요. 전문가들이 확인한 바에 따르면, 소가 스트레스를 받으면 고기 맛이 나빠진다고 해요. 굽고 난 뒤에도 스트레스를 받은 분자가 남는다는 거지요. 그런데 사람은 그 분자들에

민감하게 반응합니다. 스트레스 받은 고기를 먹을 때마다 우리 자신도 더 스트레스를 받게 되는 것이지요.」

「고통받은 동물들의 고기를 먹으면, 그 동물들의 고통이 우리에게 옮겨 온다는 얘긴가요?」

뤼시앵 엘뢰앙이 고개를 주억거렸다.

「지금까지 소 얘기를 주로 했지만, 소의 경우는 그래도 나은 편이에요. 닭을 잡을 때는 더 심하거든요. 닭 잡는 공장에 가 보면, 작업 라인 위에 닭들을 거꾸로 매달아 놓고 혀를 뽑아요. 울음소리도 못 내게 하면서 부리를 통해 피를 뽑아 내는 거죠. 그래야 고기가 아주 하얘지거든요. 결국 색깔이 하얀 고기는 피를 한 방울도 안 남기고 다 흘려 버린 고기입니다.」

「그만 하세요. 구역질이 날 것 같아요.」

뤼크레스가 말했다.

「그런데 문제는 동물들을 보호하겠다고 나서는 사람들이 너무 우스꽝스러운 자들이라서 동물 보호의 명분을 오히려 훼손하고 있다는 데에 있어요. 동물들을 보호하려면 정말로 신뢰할 수 있는 사람들을 찾아내야 할 겁니다. 배우나 가수들의 같잖은 연민으로 해결될 일이 아니죠. 양심적인 기업인들이 나서야 해요.」

「물고기의 경우는 어떤가요?」

뤼크레스가 걱정에 싸인 얼굴로 물었다.

「요즈음에 새로 등장한 기업적인 양어장에서는 물고기들을 가로 3미터에 세로 2미터쯤 되는 수조(水槽)에 넣어서 기르지요. 수익성 문제 때문에 그 수조들은 너무 과밀한 상태에 있어요. 물보다 물고기들이 많지요. 아래에 깔린 물고기들이 질식해 죽을 정도니까요.」

그들 주위에는 돼지 그림이 들어 있는 포스터들이 나붙어 있었다. 그림 속의 돼지는 인간을 먹여 살리는 게 너무나 기쁘다는 듯 아주 흐뭇한 표정을 짓고 있었다.

이번엔 이지도르가 물었다.

「그럼 돼지의 경우는 어때요?」

「예전에 돼지 잡는 곳에서도 일한 적이 있어요. 온종일 돼지들이 울부짖는 소리를 들으며 일했지요. 돼지들이 울부짖는 소리는 정말 끔찍했어요. 돼지 멱을 딸 때, 돼지는 80데시벨에 달하는 엄청난 소음을 낼 수 있다더군요.」

「그 모든 걸 무던하게 잘 견디시는 것 같군요.」

「그렇진 않아요. 저도 알고 보면 감수성이 예민한 사람이에요. 소음도 소음이지만, 돼지의 그 굳은 피 냄새는 정말 견딜 수가 없었어요. 시설이 노후한 도살장에 들어서면 그 냄새 때문에 숨이 콱콱 막혀요. 그러니까 돼지고기에서도 그런 냄새가 날 수밖에 없지요. 그런 경험을 했기 때문에 저는 우리 공장의 사육 방식과 도살 방식을 현대화하기 위해 남다른 노력을 기울였어요.」

그들은 거대한 백색 건물 안으로 들어갔다. 수천 마리의 돼지가 수백 미터에 걸쳐 완전히 직선으로 열을 짓고 있었다. 돼지들은 사방으로 철책을 두른 좁은 우리에서 꼼짝달싹을 못 하고 있었다. 게다가 머리가 단두대 같은 것에 끼여 있기 때문에 주둥이를 죽처럼 생긴 먹이가 흐르는 레일에 처박고 있어야 했다.

그곳에는 소음도 냄새도 없었고 김도 피어 오르지 않았다. 돼지들이 주둥이에 먹이를 문 채로 갑갑하게 꿀꿀대는 소리 사이로 펌프 모터의 윙윙거리는 소리가 들려 올 뿐이었다.

「얼마나 깨끗한가 보세요. 돼지를 보고 흔히 더럽다고 말하지만, 그런 평판은 온당치 못해요. 사실 돼지는 아주 깨끗한 동물이에요. 자유로운 상태에서는 끊임없이 제 몸을 핥아서 깨끗하게 하거든요. 더러운 곳에 가두어 놓고 키우니까 돼지가 더러운 거지요. 만일 사람을 벌거벗겨서 옛날식의 돼지우리에 가두어 두고 자기 배설물을 지지 뭉개며 살게 한다면, 돼지보다 훨씬 더 더러울걸요.」

뤼크레스는 돼지우리로 다가갔다.

「하지만 이 돼지들은 갇혀서 꼼짝도 못하고 있으니, 제 몸을 핥을 수도 없겠군요.」

「우리는 일부러 이 돼지들을 움직이지 못하게 해놓았어요. 그래야 힘살이 안 생기고 기름살이 많이 생기거든요.」

이지도르는 몸을 구부려 한 돼지의 주둥이를 관찰하였다.

「이 돼지들은 생김새가 다 비슷하군요.」

「당연하지요. 모두 〈라지 화이트〉라는 종의 저항력이 강한 씨돼지에서 나온 놈들이니까요. 이 녀석들은 모두 형제인 셈이지요. 클론을 만드는 기술이 더 발달하게 되면 이

놈들 중에서 가장 실한 놈을 골라 쌍둥이들을 숱하게 만들어 낼 수도 있을 거예요. 하지만 이 돼지들 정도만 돼도 〈채산성〉이 아주 높습니다. 이놈들은 몇 년 전에 우리가 키우던 돼지들에 비해서 열 배나 더 빨리 성장합니다. 이놈을 보십시오. 어미 돼지처럼 보이지 않습니까? 그런데 아니에요. 어미처럼 뚱뚱해진 새끼 돼지예요. 단 한 가지 문제점은 이 돼지들이 감기에 잘 걸린다는 거예요. 유행성 독감, 감기, 후두염, 양돈업자들이 가장 무서워하는 게 그런 것들이지요. 이 돼지들은 체질이 너무 허약해서 한 놈이 감기에 걸리면 모두가 다 걸려요.」

뤼크레스는 한 새끼 돼지의 등을 쓰다듬어 주었다.

뤼시앵 엘뤼앙은 기자들에게 자기 일에 관한 이야기를 할 수 있어서 무척 기분이 좋은 모양이었다.

「우리는 햄을 만드는 부위가 아주 두드러지게 드러나는 종자를 골랐습니다. 햄 부위가 뚜렷하게 보이면 그것을 자를 때 몇 초를 벌게 되죠. 한 마리의 경우에는 몇 초지만 수천 마리를 놓고 생각해 보세요. 상당한 시간을 벌게 되는 거 아닙니까?」

「그런데 이 네온등은 항상 켜놓는 건가요?」

「그렇습니다. 우리는 이놈들이 빨리 자라도록 하기 위해서 잠을 거의 재우지 않습니다. 이놈들은 계속 먹고, 먹고, 또 먹어야 합니다. 우리는 저 위에서 이놈들을 감시하지요.」

엘뤼앙은 두 사람을 데리고 단상으로 올라갔다. 그곳에

는 공장 전체를 통제할 수 있는 시설이 마련되어 있었다. 엘뤼앙은 원자력 발전소의 제어대를 방불케 하는 커다란 콘솔을 가리켰다. 여러 대의 컴퓨터 화면에 숫자들이 줄지어 나타나더니, 돼지 한 마리당 한 시간에 얼마만큼의 비용이 들어가는가를 산출한 표와 수익 계산표가 그 뒤를 이어 나타났다.

「모든 것을 전산화했습니다. 이 자판 하나로 철책을 열어서 돼지들을 한 마리씩 도살장으로 데려갈 수 있게 되어 있어요. 이 버튼만 누르면 한 구역 전체의 철책이 자동으로 열립니다. 조것은 항생제의 배급량을 조절하는 버튼이고, 요것은 돼지들을 도살장으로 이끌 때 쓰는 겁니다.」

그들은 단에서 내려왔다. 엘뤼앙은 다른 우리 쪽으로 두 기자를 데리고 갔다. 거기에는 목에 커다란 메달을 두른 돼지가 한 마리 있었다. 그 돼지는 하도 뚱뚱해서 네 다리로 서지도 못하고 아예 배를 깔고 엎드려 있었다.

「이 돼지는 알렉상드르라고 하는 놈입니다. 올해의 품평회에서 대상을 받았지요.」

알렉상드르 바로 위에 걸린 유리 액자 안에는 돼지의 쩍 벌려 놓은 시체가 들어 있었다.

「그리고 저 돼지는 아프로디테입니다. 작년 품평회에서 대상을 받은 놈입니다.」

아프로디테는 머리도 없고 다리도 없이 몸뚱이가 쩍 갈라진 채 근육과 비계를 속속들이 드러내 놓고 있었다. 색종이로 만들어 다리가 있던 자리에 붙여 놓은 화환과 꽃다

발 때문에 시골 분위기가 느껴졌다. 유리 액자 위로 드리운 금도금 플라스틱 메달에는 〈파리 농업 박람회 축산 품평회 대상〉이라는 글자가 새겨져 있었다.

이지도르가 조사(弔辭)를 읽듯이 중얼거렸다.

「〈시크 트란시트 오페라 문디.〉 이렇게 그는 이승의 영광을 거쳐갔노라.」

엘뤼앙은 다시 두 사람을 데리고 암퇘지들이 모여 있는 곳으로 갔다. 스테인리스 스틸 우리 안에서 꼼짝달싹을 못하고 있는 살찐 암퇘지들은 젖퉁이만을 밖으로 내놓고 있었고, 새끼 돼지들이 와서 그 젖을 열심히 빨아 대곤 했다.

「보세요. 얼마나 감동적인 장면입니까? 우리는 새끼들이 젖을 뗄 때까지 한시도 새끼들을 어미로부터 떼어놓지 않습니다. 새끼들한테는 더 좋은 일 아닙니까?」

수의사 몇 사람이 우리들 사이의 통로에서 왔다갔다하고 있었다. 그 중의 한 사람이 먹이가 흐르는 레일에 파란 액체를 쏟아 부었다.

「저건 뭐죠? 저 파란 액체 말이에요.」

「항생제예요. 아까도 말씀드렸듯이 전염병이 돌게 해서는 안 됩니다. 이놈들에게 제때에 면역 체계를 갖게 할 수 있으면 좋겠지만, 이미 빨리 자라게 하는 것만으로도 무리를 하는 건데 그것까지 요구할 수는 없지요. 이놈들은 체질이 아주 약해요. 액체가 파란 빛깔을 띠고 있는 것은 메틸렌블루를 넣었기 때문이에요. 이놈들이 항생제를 먹었는지 안 먹었는지 확인하기 위해서 색소를 넣은 거지요.

항생제를 먹지 않아서 주둥이가 파랗게 되지 않은 놈은 정맥 주사를 맞게 됩니다. 두 분도 아셨겠지만, 돼지들은 이렇게 항생제를 많이 먹기 때문에 돼지고기는 그 자체가 약이에요! 나는 우리 식구들에게 종종 이렇게 말해요. 아프면 돼지고기를 먹어라 하고 말입니다.」

뤼크레스는 주둥이가 파래진 돼지들을 바라보았다. 돼지들의 시선에는 놀랍게도 어떤 체념의 기색 같은 것이 담겨 있다는 생각이 들었다.

엘뤼앙이 갑자기 두 사람을 경계하는 듯한 기색을 보이며 물었다.

「두 분은 설마 환경 보호주의자나 녹색당원은 아니시겠지요?」

이지도르가 대답했다.

「아닙니다. 우리는 그저 사람일 뿐입니다. 어떤 정치 집단이나 사회 단체에 기대지 않고도 혼자서 사고하고 행동할 줄 아는 사람들이지요.」

엘뤼앙은 이지도르가 혹시 자기를 놀리고 있는 게 아닌가 하고 생각했다. 그는 긴가민가 미심쩍어서 가볍게 잽을 날려 보기로 했다.

「동물들의 친구임을 자처하는 사람들 말이에요. 전 그런 사람들 우습게 봐요. 사람들이 죽어 가는 것은 나 몰라라 하면서 짐승들을 보호하겠다고 하니 말이에요.」

이지도르는 감초 사탕을 하나 꺼내어 입에 물었다.

「우리는 인간 편이면서 동시에 동물 편이 될 수 있어요.

인간과 동물은 서로 반대되는 개념이 아니니까요. 나는 식물 편이기도 하고 심지어는 광물 편도 될 수 있어요. 한마디로 말해서, 나는 생명을 가진 모든 존재의 친구예요.」

엘뤼앙은 그 신앙 고백을 어떻게 받아들여야 할지 난감하였다. 그는 돼지 몇 마리를 쓰다듬어 주다가 두 기자에게 옆 건물로 가서 구경을 계속하자고 권했다. 옆 건물이란 바로 도살장이었다.

35. 돌멩이

여전히 먹을 것이 전혀 없다.

그들은 빈손으로 임시 야영지에 돌아온다.

그들을 기다리다 지친 다른 식구들은 예전의 우두머리가 말리는 것도 아랑곳하지 않고 땅에서 풀뿌리를 캐내어 갉아먹기 시작했다. 결국 많은 식구가 병이 나서 토사를 한다. 아무리 잡식성이라지만 한계는 있는 것이다.

무리의 우두머리가 동굴의 괴물을 피해 도망치던 중에 발견한 죽은 쥐 한 마리를 꺼내 놓는다. 쥐는 벌써 썩은 내를 풍기기 시작한다. 그러거나 말거나 우두머리의 첫째 암컷은 그것을 덥석 물어 버린다.

모두가 그토록 굶주려 있는 것이다.

먹는 것은 그들의 으뜸가는 욕망이다. 그는 정신의 진화에 관심을 가지면 그 욕망을 잊을 수 있다고 믿었다. 그러나 아무리 진화에 관심을 가져 보았자, 느끼는 건 그저 위의 고통스런 경련뿐이다.

굶주림의 고통 때문에 그의 식구들이 공격성을 드러내기 시작한다. 어떤 수컷들은 어린것들을 때리기도 하고 그들을 잡아먹자고 단호하게 제안하기도 한다. 암컷들은 새로운 세대를 보호하기 위해 한데 모여서 장벽을 만들 수밖에 없다.

먹이 문제를 빨리 해결하지 않으면 무리가 분열되고 말리라는 것을 모두가 알고 있다. 어떻게 해서든 그런 파국에 이르는 것을 막아야 한다.

예전의 우두머리가 모두를 부른다. 나무 밑에서 뭔가를 찾아낸 모양이다. 모두가 내려간다.

예전의 우두머리가 흰개미집을 가리킨다. 암컷들과 지배적 수컷들은 코웃음을 친다. 흰개미를 잡기가 어렵다는 건 모두가 아는 사실이다. 설령 그것들을 잡을 수 있다 해도 양이 문제가 된다. 단 한 식구의 배를 채우려 해도 엄청난 양이 필요할 텐데, 그 많은 흰개미를 어디에서 구하느냐 말이다. 옛 우두머리는 방법을 써서 하면 된다고 주장하면서 나무 막대기 하나를 집어 들더니, 그것을 흰개미집에 쑤셔 넣었다가 다시 꺼낸다. 막대기에는 흰개미가 다닥다닥 붙어 있다. 자기들의 집에 들어와서 성가시게 구는 나무 막대기를 물어뜯으려고 덤벼든 흰개미들이다.

흰개미로 덮인 그 막대기는 쭉쭉 빨아먹을 수 있는 괜찮은 먹이가 될 듯하다. 게다가 벌레라도 잡아먹지 않으면 달리 먹을 것도 없는 판국에 무엇을 해본들 손해볼 게 없지 않은가. 그들은 저마다 돌아가면서 막대기를 흰개미집에 쑤셔 넣었다가 꺼낸다. 자기들의 집을 지키려는 일념으로 달려든 병정흰개미들이 송이송이 딸려 나온다.

흰개미는 바삭바삭하다.

그런데 무리의 우두머리가 벌컥 화를 낸다. 그 방식은 너무 느리다는 것이다. 게다가 흰개미는 맛도 없고 영양가도 별로 없다는 것이다. 옛 우두머리는 흰개미집 한복판에는 하얀 민달팽이처럼 생긴 살지고 맛좋은 여왕흰개미가 있다고 알려 준다.

우두머리는 지체 없이 묵직한 돌멩이 하나를 잡더니 흰개미집 위로 던진다. 그러자 흰개미들이 모두 땅속 깊은 곳으로 사라져 버린다. 남아 있는 흰개미가 한 마리도 없다. 먹이에 대한 희망이 사라진 것이다. 우두머리는 자기의 잘못을 인정하기는커녕 자기처럼 다 같이 돌멩이로 흰개미집을 공격하라고 명령한다.

그는 우두머리를 실망스러운 눈길로 바라본다. 그러나 어떤 무리든 제 분수에 맞는 우두머리를 갖게 마련이다. 무리가 어리석으면 우두머리도 어리석고, 무리가 영리하면 우두머리도 영리하다. 결국 그들은 가장 진화한 동물이 아닐지도 모른다.

우두머리는 흰개미들이 버리고 달아난 집을 돌멩이로 계속 내려친다. 우두머리는 잘못을 저질러도 그것을 인정하지 않으며 잘못된 행위를 중단하지도 않는다. 그것 역시 우두머리의 특권이다. 지배적 수컷들은 우두머리를 도와야 한다고 느낀다.

그는 뒤로 물러서서 안타까운 마음으로 그들을 지켜본다. 자기는 어쩌면 좋은 무리 속에 태어난 게 아닐지도 모른다는 생각이 든다.

그들 무리는 초원시적인 우두머리가 이끄는 원시적인 무리이다.

36. 식품 가공 기술자 엘뤼앙의 이론

「자 여기에서 여러분은 최상의 도축 기술을 구경하시게 될 겁니다.」

소독약과 오존 냄새가 훅 끼치고 기계의 진동소리와 연한 살을 베는 금속의 서벅거리는 소리가 귓전에 맴돌았다. 이지도르와 뤼크레스는 빙글빙글 돌아가는 커다란 기계들을 살펴보았다.

작업복을 입은 사람들이 기계들 사이로 돌아다니고 있었다. 머리에 헝겊 모자를 쓰고 마스크를 착용한 그들은 사육장에서 본 것과 같은 수의사들이 아니라 기술자들이었다. 그들은 두 기자가 반 리스베트 박사의 병원에서 마주친 의료 팀과 조금 비슷한 점이 있었지만, 휴대용 컴퓨터를 들고 거기에 끊임없이 숫자를 입력하고 있다는 점이 달랐다.

뤼시앵 엘뤼앙이 지나가면서 이따금씩 기술자들에게 인사를 건네면, 그들은 컴퓨터 화면을 통해 최근의 작업 현황과 수익 계산표를 보여 주었다. 그는 기술자들이 더욱 많은 돼지들을 처리함으로써 작업 시간과 생산비를 줄이도록 몇 가지 지시를 내리곤 했다.

그가 기자들에게 말했다.

「예전 같으면 아무도 이런 곳에 올 엄두를 못 냈을 겁니다. 도살장을 생각하면 누구나 마음이 편치 않았을 거예요. 핫도그나 햄을 먹으면서 양심의 가책 때문에 속이 불편해지고 싶지 않으면 도살장에서 벌어지는 일을 무시하는 편이 나았겠지요. 그런데 이제 우리 회사는 도살장을 구경하고 싶어 하는 사람이 있으면 누구에게나 우리의 최신 설비를 자랑스럽게 보여 줄 수 있습니다.」

수백 마리의 돼지들이 거대한 미끄럼틀을 따라서 분홍빛 액체처럼 흐르고 있다. 미끄럼틀을 빠져나온 돼지들은 지름이 수 미터나 되는 넓은 깔때기 속으로 들어간다. 그런 다음, 밑의 좁은 구멍을 통해 일정한 간격으로 한 마리씩 아래층으로 미끄러져 내려간다.

그 아래에서 컨베이어 벨트가 돼지들을 받아 싣고 간다. 수직 밴드 두 개가 돼지의 양 옆구리를 누르고 있기 때문에 돼지는 움직이거나 달아날 수가 없다. 돼지들이 컨베이어 벨트의 끝에 다다르면, 두 갈래로 나뉜 전극판이 돼지의 목덜미에 달라붙어 3만 볼트의 전기로 충격을 준다. 감전된 돼지는 환각 상태에 빠진 것처럼 멍해 보인다. 금빛 털은 더욱 곱슬거리고 분홍빛 살갗에 물집이 생기면서 누린내가 난다.

사람들은 돼지가 죽자마자 다리 하나를 들어 갈고리에 매 달고 피를 빼내기 위해 두 경정맥을 자른다. 피는 검은 시럽처럼 홈통 속으로 흘러 들어가 골을 타고 계속 흐르다가 커다란 통 속으로 들어간다.

뤼시앵 엘뤼앙이 설명했다.

「저건 순대를 만들기 위한 거예요.」

피가 다 빠진 돼지들은 53도의 물에 담가졌다가 털 그스르는 기계가 있는 곳으로 옮겨진다. 그러면 먼저 고무 손가락들이 살가죽을 두드려 대는 타피기(打皮機) 속으로 들어간 다음, 두 대의 가스 버너 앞을 지나간다. 돼지들은 마지막 터럭이 그스를 때까지 그 앞에 머물러 있어야 한다. 그 다음은 내장을 들어내는 단계이다. 기계가 바드득 소리를 내면서 목에서 치골까지 돼지의 복부를 가르면, 회전톱을 든 여성 기술자가 직장이 다른 창자와 같이 떨어지지 않도록 직장 주위를 동그랗게 도려낸다.

돼지의 뱃속이 비워지는 소리.

사람들은 돼지의 발톱도 그냥 두지 않고, 아교를 만들기 위해 뽑아 낸다.

돼지의 흉강(胸腔)에서는 허파와 염통과 숨통이 적출된다. 개와 고양이의 먹이로 쓰일 것들이다.

잠시 후 회전톱을 든 다른 기술자가 돼지들의 머리를 자른다.

「어떻습니까? 일이 아주 빠르게 진행되죠? 정확하게 64초 전만 해도 살아 있던 돼지들인데 벌써 이대로 식탁에 올려도 좋을 만한 고기가 되지 않았습니까?」

엘뤼앙이 자랑 삼아 그렇게 말하자, 얼떨떨한 표정을 짓고 있던 뤼크레스가 대꾸했다.

「설령 우리가 여기에서 본 것을 있는 그대로 보도한다 해도 사람들은 곧이듣지 않을 것 같군요. 사람들은 우리가 과장한다고 생각하거나 공상 과학 소설에서 읽은 것을 마치 사실인 것처럼 말한다고 여길 거예요.」

엘뤼앙은 그녀의 말을 칭찬으로 받아들였다.

「공상 과학이라니요? 지금 눈으로 확인하고 계시지 않습니까? 이건 현실이에요. 정말 놀랍지 않습니까?」

돼지들의 잘린 머리에 뾰족한 창이 자동으로 꽂히고 그 창들은 레일에 실려 위로 올라가고 있었다.

「저 머리들은 어디로 가져가는 거예요?」

「예전에는 머리를 돼지고기 요리를 위한 장식으로 사용했는데, 요즘에는 그렇게 하는 사람들이 거의 없어요. 그래서 우리는 돼지 머리를 가루로 만들어 사료에 섞습니다.」

그 말에 뤼크레스가 기겁을 했다.

「아니, 돼지 머리가 다른 돼지의 먹이로 쓰인다는 말이에요? 그건 너무 심하지 않아요? 사람이 사람 고기를 먹는다고 생각해 보세요.」

「돼지들은 그걸 모릅니다. 사람이 사람 고기를 먹는다면 죄가 되겠죠. 그런 줄 알고도 먹는다면 말이에요⋯⋯.」

그러면서 엘뤼앙은 두 사람에게 한 눈을 찡긋해 보였다.

「게다가 옥수수 가루, 뼛가루, 생선 가루 등 다른 것들이 많이 섞이기 때문에 맛을 보고는 알 수가 없지요.」

이지도르는 볼 만큼 보고 들을 만큼 들었다고 판단하고, 단도직입적으로 질문을 던졌다.

「혹시 아제미앙 교수를 아십니까?」

「그걸 왜 물으시죠?」

도살 전문가 엘뤼앙은 잠시 놀라는 기색을 보이다가 이내 냉정을 되찾았다.

「아, 알겠어요. 아제미앙 교수가 제 자형이었다고 그러시는 거군요. 하지만 그건 이미 오래전의 일이에요……. 두 분이 제 누나를 만나려고 하는 것도 결국은 누나가 그 살인 사건과 관련해서 뭔가 알고 있을 거라고 생각하시기 때문이군요?」

「살인자는 아마 대단히 민첩한 자일 겁니다. 원숭이로 가장한 어떤 자가 우리를 공격한 적이 있었어요. 그자는 가지에서 가지로 건너뛰며 나무 사이로 다닐 수 있는 자였어요. 그런데 듣자 하니 소피 엘뤼앙 여사가 공중 그네를 타는 곡예사였다더군요.」

엘뤼앙의 얼굴에 여유로운 미소가 번졌다.

「말씀하신 대로 한때 그랬지요. 하지만 몇 년 전에 공중 그네를 타다가 떨어졌지요. 그 뒤로 수영장에서 집중적인 재활 교육을 받고 있긴 하지만 그런 몸으로 가지에서 가지로 건너뛰며 돌아다닐 수 있을 것 같지는 않군요. 그랬다면 기적 같은 일이 벌어진 거겠지요.」

「전 남편하고는 사이가 좋았나요?」

「아제미앙 교수의 초기 발굴 작업을 재정적으로 지원한 것은 우리 가족의 회사였어요. 누나나 제가 없었으면 그는 발굴 작업을 시작하지 못했을 겁니다. 한때는 저와 그분의 관계가 아주 돈독했지요. 저를 〈우리는 어디에서 왔는 가?〉라는 클럽에 초대해서 인류의 기원에 관한 저 자신의 견해를 발표할 수 있도록 해준 적도 있을 정도니까요.」

「그러니까 뤼시앵 엘뤼앙 씨도 인간의 기원에 관해서 하나의 이론을 가지고 있다는 얘기인가요?」

뤼크레스의 얼굴에 놀라워하는 기색이 역력하였다.

「물론이지요.」

엘뤼앙은 목소리를 가다듬고 자기 이론을 설명하기 시작했다.

「굳이 이름을 붙이자면, 제 견해는 〈초포식성(超捕食性) 이론〉이라고 부를 수 있을 것입니다. 사실 저는 우리가 어떻게 먹느냐에 따라서 진화의 정도가 달라진다고 생각하고 있습니다. 초식 동물을 보세요. 그들은 영악하지 못합니다. 움직이지 않는 풀을 뜯거나 무방비 상태의 열매를 따는 데에 무슨 어려움이 있겠습니까? 그러나 동물을 사냥하는 것은 다릅니다. 꾀가 필요하지요. 숨고 노리고 습격하고 달리고 싸울 줄 알아야 합니다. 요컨대 뇌가 발달해야 한다는 것입니다. 원숭이들을 놓고 생각해 보세요. 침팬지와 비비가 가장 사회적이고 가장 영리합니다. 그 이

유가 뭔 줄 아십니까? 고기를 먹기 때문입니다. 그들에게
고기는 환각 효과를 가져다 주는 일종의 마약이지요.」

그러면서 그는 두 방문자에게 실타래처럼 걸려 있는 돼
지들의 내장을 가리켰다.

「제가 생각하는 인류의 기원은 이렇습니다. 우리의 최
초의 조상은 나무살이 원숭이였습니다. 그들은 온종일 빈
둥거리면서 손에 닿는 열매를 따먹고 살았지요. 그러다가
지구에 대지진이 일어나고 리프트 밸리가 생기면서 건조
한 기후가 계속되었어요. 그 때문에 숲이 사라졌고, 그들
은 먹이를 바꾸어야만 했지요. 나무 열매 대신 새로운 먹
이를 찾아야 했던 것입니다. 그들이 맨 먼저 찾아낸 것은
동물들의 시체였습니다. 그들은 하이에나나 재칼이나 독
수리처럼 죽은 동물의 고기를 먹기 시작했지요. 그러나 그
먹이는 그들이 마음대로 선택할 수 있는 것도 아니었고 어
쩌다 운이 좋으면 생기는 불확실한 것이었어요. 그런 먹이
에 싫증을 느낀 그들은 살아 있는 작은 동물들을 사냥하기
시작했어요. 사냥은 그들을 역동적이고 튼튼하고 강하게
만들어 주었습니다. 영양이든 토끼든 초식 동물을 뒤쫓기
위해서는 힘이 많이 필요했으니까요. 사냥을 하면서 새로
운 능력들이 발달했어요. 시력도 한결 좋아졌고, 청각도
더 예민해졌지요. 움직이는 동물을 죽이기 위해서는 그 동
물의 행동을 이해하고 그의 반응을 예측할 수 있어야 합니
다. 사냥에는 관찰과 판단과 예측이 필수적이지요. 사냥을
하면 사고 능력이 발달합니다. 우리 조상들은〈아하, 우리

사냥감들은 새끼들을 이런 시기에는 이런 데에 두는구나. 아하, 병든 자들은 이런 곳에 놓아두는구나〉 하는 식으로 생각하곤 했을 것입니다. 그들은 동물들을 관찰했고 함정을 발명했습니다. 제 생각에는 인류의 사회 생활도 움직이는 빨간 고기를 잡을 필요에서 생겨난 듯합니다. 우리의 먼 조상들은 무리를 지어서 사냥을 하면 동물들을 포위할 수 있고 덩치가 더 큰 짐승들을 공격할 수도 있다는 사실을 깨달았던 것입니다.」

　그는 뤼크레스의 어깨 너머로 그녀의 수첩을 일별하였다. 〈초포식성 이론〉이라는 글귀가 눈에 들어왔다. 그는 더욱 신이 나서 이야기를 계속했다.

　「그런데 오늘날 우리는 애석하게도 인류의 쇠퇴를 목격하고 있습니다. 채식주의가 다시 유행하고 있다는 것, 그것이 바로 쇠퇴의 가장 두드러진 징후라고 할 수 있습니다.」

　「채식주의를 반대하는 이유가 뭐지요?」

　「채식주의는 종의 퇴화를 가져옵니다. 그 점을 생생하게 보여 주는 증거가 있어요. 팬더가 바로 그것이죠. 팬더는 육식 동물에서 초식 동물로 되돌아간 아주 드문 예 중의 하나입니다. 아시다시피, 팬더는 조금씩조금씩 쇠퇴해서 이제는 지구상에서 완전히 사라질 위기에 처한 동물의 상징이 되어 버리지 않았습니까? 두 분은 채식주의에 찬성하십니까?」

　「아니요. 어렸을 적에 처음으로 피가 뚝뚝 떨어지는 고깃덩어리가 내 접시에 놓인 것을 보고 우리가 짐승 같다고 느낀 적은 있지만, 그렇다고 그 뒤로 고기를 안 먹은 건 아니에요.」

「만일 동물을 사육해서 도살하는 우리 같은 사람들이 없다고 생각해 보세요. 아마도 동물의 많은 종이 지상에서 사라지고 말 거요.」

고기 써는 기계들이 빠르게 돌아가고 있었다. 엘뤼앙은 큰 동작으로 그 모든 기계들을 가리키면서 말했다.

「우리가 인간이라는 것이 자랑스럽지 않습니까? 우리는 더 이상 어떤 동물도 두려워하지 않습니다. 자, 보십시오. 이 공장이 바로 포식(捕食)의 극치를 보여 주고 있잖습니까? 우리는 수천 마리의 동물을 죽이면서 단 한 놈도 달아나지 못하게 합니다. 게다가 우리는 가장 어려운 일을 해냈습니다. 폭력을 전혀 쓰지 않고도 죽일 수 있으니까요…….」

그때 갑자기 시끌벅적한 소리가 들려 왔다. 기술자 하나가 불쑥 나타나 엘뤼앙의 귀에 대고 뭐라고 소곤거렸다.

「먼저 실례하겠습니다.」

그러면서 그는 사육장 쪽으로 황급히 걸어갔다.

이지도르와 뤼크레스는 그를 따라갔다. 문 쪽에서 구호 소리가 들려 오고 있었다. 시위대가 공장 안에 난입한 모양이었다. 동물 가면으로 얼굴을 가린 수백 명의 시위자들이 도축에 반대하는 구호가 적힌 플래카드를 흔들어 대고 있었다. 갖가지 동물을 표현하고 있는 그 가면들 중에는 원숭이 가면도 여남은 개 섞여 있었다.

엘뤼앙의 이마에 불만을 드러내는 주름이 잡혔다. 그가

228

두 기자를 돌아보며 말했다.

「또 동해전 사람들이군요. 동물 해방 전선 말이에요. 실험실에 갇힌 동물들을 해방시키자고 주장하는 미치광이들이죠. 얼마 전부터는 도살장을 공격하기 시작했어요. 영국에서는 이런 자들을 공공 질서 교란 혐의로 곧장 감옥으로 보내 버리죠. 그런데 프랑스에서는 이자들을 너무 대단하게 생각해요. 조금 완고한 환경 보호주의자들로 간주하고 있으니까 말이에요. 두 분은 기자시니까, 이들의 공격성과 악의를 증언해 주시리라고 믿어요.」

엘뢰앙 사의 기술자들이 나타나서 시위대 앞에 저지선을 만들었다. 뤼시앵 엘뢰앙은 서둘러 저지선에 합류하여 그들의 선두에 섰다. 잠바와 청바지 차림에 동물 가면을 쓴 사람들과 작업복 차림에 작업모를 쓴 사람들이 서로에게 적의를 보이며 대치하고 있었다.

〈동물의 속성 사육을 즉각 중지하라!〉, 〈동물 학대 중단하라!〉, 〈동물들에게 평화를!〉 하고 시위대가 박자에 맞추어 구호를 외쳤다.

엘뢰앙 사의 간부 사원 하나가 전기 확성기를 가져다가 뤼시앵에게 건넸다.

「나는 누가 여러분을 보냈는지 알고 있습니다. 1996년의 광우병 위기 이래로 돼지고기의 소비는 세 배로 늘었음에 반해 쇠고기의 소비는 급속히 감소했습니다. 그래서 소도살장이 위기를 맞고 있습니다. 여러분을 이곳에 보낸 건 소 잡는 도축업자들일 겁니다. 그렇지 않습니까? 그들이 이곳을 난장판으로 만들라고 여러분을 보낸 거 아닙니까?」

그러자 이번에는 시위자들 중에서 닭 가면을 쓴 사람이 확성기를 들었다. 시위대의 지휘자로 보이는 사람이었다.

「무슨 소리요? 우리는 완전히 독립적으로 행동하고 있소. 우리는 동물의 이익을 지키러 온 거요.」

「그러면 왜 소 도살장에는 안 가고 여기에서만 시위를 벌이지요?」

「거기도 때가 되면 갈 겁니다.」

그러면서 닭 가면은 시위대에게 전진하라고 손짓을 했다.

「움직이지 마세요. 경찰을 부르겠어요.」

「그거 좋지. 경찰을 부르시오. 경찰이 와서 여기에서 무슨 일이 벌어지고 있는지를 봐야 돼요. 사람들이 도살장의 실태를 알아야 한다고요.」

「우리 공장에는 유럽 공동체의 보건 위생법에 어긋나는 사항이 전혀 없습니다. 여기 기자들도 와 있어요. 이분들에게 나는 모든 것을 보여 주었어요. 우리는 감출 게 전혀 없어요.」

그러면서 엘뤼앙은 뤼크레스와 이지도르를 가리켰다. 두 사람은 엘뤼앙의 말에 뭐라고 반박할 새도 없이 그의 보증인 노릇을 해야 했다.

가냘프지만 울림이 좋은 여자 목소리가 날아왔다. 토끼 가면을 쓴 여자가 내는 소리 같았다.

「우리는 지금 위생법을 문제삼고 있는 게 아니에요. 이건 법률의 문제가 아니라 양심의 문제예요. 당신들이 그 불쌍한 짐승들을 어떻게 다루고 있는지를 생각하면, 우리가 인간이라는 것이 부끄러워요. 결국 우리는 인간의 존엄성을 위해 싸우는 겁니다.」

염소나 얼룩말, 원숭이, 사자 따위의 가면을 쓴 그녀의 동료들이 뒤에서 피켓 손잡이로 땅바닥을 두드리며 동의의 뜻을 표했다.

「여러분은 인간입니다. 그렇다면 인간의 얼굴을 보여주십시오!」

그렇게 소리치면서 엘뤼앙은 시위대의 지휘자에게 다가가 그의 가면을 벗기려고 했다.

닭 가면을 쓴 지휘자는 엘뤼앙의 완력에 맞서 플라스틱 부리로 그의 이마를 쪼았다. 그것이 신호가 되었다. 시위대가 공장 종업원들의 저지선으로 돌진했다. 시위자들은 공격의 함성 대신 각기 자기가 좋아하는 동물의 소리를 냈다. 〈음메음메〉나 〈꽥꽥〉, 〈야옹야옹〉 소리를 내는 자들이 있는가 하면 맹수처럼 포효를 터뜨리는 자들도 있었다. 엘뤼앙은 공격을 저지하려고 애썼다. 그러나 그의 편이 수적으로 열세라는 것이 곧 분명해졌다.

뤼크레스는 그 혼전 속으로 뛰어들었다. 그녀의 〈고아원 태권도〉가 빛을 발할 때가 온 거였다. 그녀는 원숭이 가면을 쓴 자들을 골라서 신나게 패주었다. 발차기, 무릎차기, 물어뜯기, 좌우 연타 등으로 그들을 이리저리 쓰러뜨리면서, 그녀는 캐나다의 벌목꾼처럼 씩씩거렸다.

엘뤼앙은 시위대에 완전히 둘러싸인 채, 위험 천만하게 날아드는 피켓 손잡이에 맞지 않으려고 두 팔로 머리를 감싸고 있었다.

레일에 실린 채 감전사를 당하러 가고 있던 돼지들은 조금은 재미있다는 듯 그 광경을 바라보고 있었다. 죽을 때 죽더라도 볼 건 보아야 하는 거였다.

이지도르는 그 싸움판을 우회하여 통제소가 있는 곳으로 올라가 돼지 우리를 자동으로 개폐하는 장치를 마주하고 섰다. 그는 한꺼번에 모든 버튼을 눌러서 여러 장치를 동시에 가동시켰다. 물이 나오고 문이 열리고 큰 통에 담긴 피가 비워지고 돼지들의 목에 씌웠던 칼이 들려 올라갔다.

돼지들은 느닷없이 감옥 문이 열리고 몸의 움직임이 자유로워졌음을 느꼈다. 그들은 머뭇거렸다. 평생을 갇혀 살았기 때문에 난데없이 찾아온 탈주의 기회를 어떻게 활용해야 할지 모르는 거였다. 가장 대담한 자들만이 우리를 벗어나 자유의 세계를 향해 뛰쳐나갔다. 자유를 박탈당한 채로 태어나 오로지 노예 상태만을 경험해 본 탓에, 그들은 구속 없이 산다는 것이 어떤 것인지를 모르고 있었다. 어떤 자들은 자기들이 꿈을 꾸고 있는 것이 아닐까 하고 미심쩍어 했다. 이제껏 그들에게는 탈주라는 것이 있을 법하지 않은 일로만 여겨졌던 것이다.

돼지들은 조심스럽게 감옥의 바깥 세상을 탐색하였다. 아주 가까운 곳에서 인간들이 서로 뒤엉켜 싸움을 벌이고 있었다. 그 광경을 보자 천성적으로 놀이를 좋아하는 본능이 발동하여, 돼지들도 인간의 싸움판에 합류하였다. 그들은 즐겁게 꿀꿀거리면서 이리저리 내달았다. 새끼 돼지들은 젖을 떼기가 무섭게 헤어졌던 어미 돼지들과 감동 어린 재회를 했다.

도살장이 온통 아수라장으로 변하였다.

동물의 대량 학살을 위해 마련된 그곳에서 난데없이 대축제 같은 것이 벌어지고 있는 거였다. 앙심 따위를 품을 줄 모르는 돼지들은 자기들에게 먹이를 주는 사람들을 알아보고 그들의 뺨을 다정하게 핥았다. 나이가 더 들어서 몸뚱이가 더 비대해진 돼지들은 걸어 보려고 애는 쓰고 있었지만, 평생 움직여 본 적이 없는 터라 다리를 후들후들 떨면서 제자리에 꼼짝 않고 서 있었다.

싸움의 판세는 시위대가 우세한 쪽으로 돌아가기 시작했다. 어떤 시위자들은 공장 종업원들을 돼지가 빠져나간 우리 쪽으로 떼밀어 그들을 안에 가두어 버렸다. 또 어떤 시위자들은 아직 우리 안에서 뭉개고 있는 돼지들에게 고함을 질러 밖으로 나가게 하려고 애썼다. 그러나 그 돼지들로서는 불과 몇 분 만에 노예 상태를 청산한다는 것이 너무나 어려운 일이었다.

엘뤼앙은 돼지들이 갑자기 몰려온 틈을 타서 시위대의 포위를 뚫고 나가 통제소로 올라갔다. 그는 이지도르를 보자 다짜고짜 호통을 쳤다.

「왜 개폐 장치를 함부로 작동시키고 그래요?」

「그 덕분에 목숨을 건진 줄 아세요. 화를 낼 게 아니라 오히려 나한테 고맙다고 해야 할걸요.」

엘뤼앙은 경보 버튼을 주먹으로 후려쳤다. 온 공장에 사이렌 소리가 울려 퍼지고, 도처에서 빨간 경보등이 번쩍거렸다. 공장의 모든 종업원이 시위대를 쫓아내고 달아난 돼지들을 잡으러 달려왔다.

소피 엘뤼앙의 여비서가 통제소에 불쑥 나타났다.

「큰일났어요! 큰일이에요!」

「진정해요, 아녜스 양. 시위대가 위험하긴 하지만 걱정할 거 없어요. 곧 수습이 될 거예요.」

「아니, 그게 아니에요. 원숭이가…….」

「뭐라고요? 원숭이가 어쩼다는 거예요?」

「원숭이가 방금 누님을 납치했어요.」

이지도르와 뤼크레스가 먼저 밖으로 뛰어나갔다. 때마침 소피 엘뤼앙을 품에 안고 가는 고릴라의 실루엣이 눈에 띄었다. 원숭이 마스크를 쓴 사람의 실루엣이 아니라 온몸이 털가죽으로 덮인 진짜 고릴라의 모습이었다. 여자는 도와 달라고 울부짖으면서 원숭이의 가슴팍을 주먹으로 때리고 있었다. 원숭이는 걸음을 늦추지 않고 자동차로 달려가더니 여자를 뒷좌석에 던져 놓고 황급히 시동을 걸었다.

시위대와 종업원들은 잠시 싸움을 멈추고 홀린 듯이 그 광경을 바라보았다.

「자, 빨리요!」

뤼크레스는 벌써 자기의 구치 오토바이에 올라타 시동

을 걸고 있었다. 이지도르는 있는 힘을 다해 오토바이에 곁달린 사이드카에 뛰어 올라탔다. 맹렬한 추격전이 시작되었다.

쫓기는 자동차의 운전자는 온갖 위험을 무릅써 가며 그들을 따돌리려고 했다. 그는 아스팔트 위를 지그재그로 달리다가 반대편 차선으로 질주하여 아슬아슬하게 트럭들을 추월하였고 빨간 신호를 완전히 무시하였다. 뤼크레스는 반사 신경이 잘 발달해 있었고 그녀의 사이드카도 그녀가 요구하는 대로 급커브를 잘 돌아 주었기 때문에 그런 대로 해볼 만한 추격전이었다. 그러나 일단 고속도로에 진입하자 양상이 달라졌다. 납치자의 자동차는 그녀의 사이드카보다 엔진이 훨씬 강력하다는 것을 자랑하기라도 하듯 이내 거리를 넓히기 시작했다.

「저놈이 원숭이라면, 정말 대단한 재능을 가진 놈이야.」

이지도르는 사이드카 안에서 찾아낸 가죽 모자를 눌러 쓰고 너무 거치적거리는 잡동사니를 버려 가면서, 그 소리를 바람에 날려보냈다.

멀리 앞서가던 자동차가 차선을 바꾸어 고속도로를 빠져나갔다. 표지판을 보니 파리 북동 교외의 부르제 공항 쪽이었다.

두 기자는 활주로의 철책 너머로 사람을 어깨에 메고 가는 원숭이를 보았다. 원숭이는 엔진이 돌아가고 있는 작은 전세 비행기에 올라탔다.

뤼크레스가 활주로로 달려가려 하자, 이지도르가 그녀

를 붙들었다.

「너무 늦었어요.」

아닌 게 아니라 비행기는 벌써 이륙 활주로를 질주하고 있었다.

이지도르가 예의 그 아이 같은 음성으로 말했다.

「나는 우리의 적이 무척 마음에 들어요. 그는 이 나무 저 나무로 건너 뛰어다니고, 자동차 경주의 비결을 알며, 필요할 경우에는 비행기도 조종하는군요. 놈은 원숭이일 리가 없어요. 사람도 아니에요. 놈은 슈퍼맨이에요.」

「관제탑에 올라가서 비행기가 어디로 가는지 알아보죠. 놈이 원숭이든 아니든, 어디로 비행하는지는 틀림없이 알려 놓았을 거예요.」

「그럴 필요 없어요. 나는 놈이 여자를 어디로 데려가는지 알고 있어요.」

이지도르가 아주 차분하게 되받았다. 그러면서 그는 풀밭에 앉더니 풀줄기 하나를 뽑아 입아귀에 물고 멀리 사라져 가는 비행기를 물끄러미 바라보았다.

하늘이 붉게 물들어 가고 있었다. 소피 엘뤼앙과 원숭이를 태우고 남쪽 어딘가로 날아가는 작은 비행기는 이제 반짝이는 점으로만 보였다.

「저들이 어디로 가고 있다고 생각하세요?」

이지도르는 육중한 몸을 다시 일으키더니 벨벳 바지에 묻은 마른 풀줄기를 털어 내고 길게 숨을 내쉬었다.

「저들은 인류의 요람으로 가고 있어요.」

제 2 부

인류의 요람

1. 미지의 땅으로

그들은 몸을 웅크려 태아의 자세를 취한다.

뭔가 일이 잘 안 돌아갈 때면, 그들은 자기들도 모르게 그런 자세를 취한다.

그들은 배가 고프다.

며칠간은 아무것도 먹지 않고 버틸 수 있다. 그러나 일주일 이상 견디기는 힘들다. 이제 그들은 너무 배가 고프다.

무리의 우두머리가 자리에서 일어난다. 〈곰곰이 생각해 봤는데, 해결책이 있는 것 같아〉 하는 표정이다. 그가 생각해 낸 해결책은 영토를 바꾸는 것이다. 그들이 잘 알고 있는 그 지역을 떠나자는 것이다. 그러면 어디로 간단 말인가?

우두머리는 어떤 정보를 담은 냄새가 바람결에 실려 오기라도 하는 것처럼 코를 킁킁거리며 냄새 맡는 시늉을 한다. 그러고는 눈을 감고 자기의 판단이 옳다는 확신을 불어넣은 뒤에 한 방향을 가리킨다. 북쪽이다. 산마다 먹이가 우글거린다는 바로 그곳이다.

암컷들은 찬성의 뜻을 표한다. 어쨌거나 새로 마련된 거처가 너무 좁아서 장차 태어날 어린것들을 놓아둘 자리가 마땅치 않다고 생각하던 터이다. 늙은 식구들은 다소 회의적인 반응을 보인다. 북쪽은 너무 춥다는 것이다. 그러나 다른 식구들은 그들의 의견을 그저 귓등으로 들을 뿐이다.

그들은 떠나기로 결정한다. 모두가 새로운 기대에 부풀어 자리에서 일어난다. 병든 자들과 다친 자들은 무리가 나아가는 데에 방해가 되지 않겠다고 다짐을 하고 무리 안에 받아들여진다.

북쪽으로 떠나는 행진 대열이 서서히 갖추어진다.

천적들에게 노출된 채 먼 거리를 가로질러 가야 하기 때문에, 그들은 당연히 이주 대형으로 늘어선다. 우두머리가 앞장을 서고 지배적 수컷들은 양 날개에 포진한다. 병든 자들은 맨 뒤에 자리를 잡는다. 만일 천적들이 공격해 온다면, 그들은 천적들의 먹이가 되어 추격을 늦추어 주는 구실을 하게 될 것이다.

그는 고개를 들어 하늘을 본다. 그들 위로 홍학 떼가 날고 있다. 홍학 떼도 그들 무리와 같은 방향으로 가고 있다.

240

대단히 아름답다. 흡사 하늘에 꽃을 흩뿌려 놓은 듯하다. 홍학들은 가두리에 검은 줄이 있는 커다란 날개를 활짝 편 채 날고 있다.

그는 걸음을 늦추지 않고 고개를 한껏 뒤로 젖혀 홍학 떼를 계속 관찰한다. 그러느라고 목이 아픈 줄도 모른다. 〈저 높은 곳에서 우리를 보면 우리가 어떻게 보일까〉 하고 그는 생각한다.

2. 비행

이지도르 카첸버그는 기창(機窓) 너머로 땅을 내려다보고 있었다. 비행기는 남프랑스 상공을 지나 이탈리아와 그리스를 거쳐 이집트 쪽으로 향한 다음 에티오피아와 케냐를 지나 탄자니아 상공을 날고 있었다.

그들의 목적지는 탄자니아의 킬리만자로 공항이었다. 그들은 파리 교외의 부르제 공항에서 돼지고기 가공 회사의 여사장과 납치범을 태운 비행기가 킬리만자로 공항으로 가고 있다는 것을 확인한 바 있었다.

〈우리는 지금 우리 조상들이 대이동할 때 갔던 길을 거꾸로 가고 있는 것이 아닐까?〉 하고 이지도르는 생각했다. 그는 기상 이변과 천적들의 쇄도와 종들간의 전쟁을 피해 이주했던 그 선행 인류의 무리들을 머릿속에 그려 보려고 애썼다.

그는 구름 아래를 내려다보며, 3백만 년 전에 동아프리카의 어딘가를 떠나 다섯 대륙으로 흩어졌던 인류의 무녀리들이 무리를 지어 이동하는 모습을 상상해 보았다.

비행기 날개 아래로 홍학들이 무리를 지어 반대 방향으로 날아가고 있었다.

바로 그때, 한 여승무원이 서두르는 듯한 동작으로 이지도르의 좌석 앞에 있는 올렸다 내렸다 하는 작은 탁자를 내리더니 기내식 쟁반을 내려놓았다. 그는 뜨거운 음식을 덮고 있는 은박지 뚜껑을 열고 내용물을 살펴보았다. 희고 무례한 닭고기 한 조각이 무엇으로 만든 것인지 알 수 없는 걸쭉한 죽 한복판에 덩그러니 놓여 있었다.

〈안 됐지만, 이 닭은 아무 쓸모도 없이 죽은 셈이 되겠군〉 하고 속말을 하면서 그는 닭고기 조각을 죽 속에 묻고 당근을 묘비 삼아 놓아 준 다음 도로 뚜껑을 닫았다.

뤼크레스 넴로드는 무척 허기져 있던 터라, 음식의 생김새에 아랑곳하지 않고 다 먹어 치웠다. 허기가 가시고 나서야 그녀는 씹기를 중단하고 식사의 잔해를 살펴보았다. 죽과 뒤범벅이 되어 있는 그 작은 뼈들을 보자 문득 자기의 최고 관심사인 고생물학에 대한 생각이 떠올랐다. 그녀는 쟁반을 밀어 놓고 늘 지니고 다니는 수첩을 가방에서 꺼냈다. 그녀는 옆자리의 동료가 들으라고 조금 큰 소리로 읽기 시작했다.

「샌더슨 교수의 이론 인간은 외계에서 온 바이러스가 옮긴 병 때문에 생겨났을 것이다.

242

콩라드 교수의 이론 인간은 유전자의 우연한 결합에서 생겨났을 것이다.

반 리스베트 박사의 이론 인간은 원숭이가 기후 변화에 능동적으로 적응하는 과정에서 생겨났을 것이다.

식품 가공 기술자 엘뤼앙의 이론 인간은 다른 모든 동물들을 잡아먹을 수 있는 슈퍼 천적이 될 필요성 때문에 생겨났을 것이다.」

뤼크레스는 읽기를 중단하고, 그 가설들을 머릿속에서 이리저리 되작였다. 별똥별. 우연. 적응. 초포식성.

아직 디저트가 남아 있었으므로 그녀는 다시 쟁반을 끌어 당겼다. 디저트는 젤라틴처럼 생긴 푸르스름한 크림에 설탕에 절인 버찌 하나를 올려 놓은 것이었다.

「저는 라마르크와 다윈의 차이를 잘 모르겠어요.」

그 솔직한 고백에 이지도르가 자기 나름대로 설명을 했다.

「다윈의 견해는 인간은 어떤 원숭이의 유전자 복제가 잘못 되는 우연한 사건에 의해서 생겨났을 거라는 것이고, 라마르크에 따르면 인간은 스스로를 개선하려고 노력한 원숭이지요.」

같은 줄의 세 번째 좌석에는 회색 정장 차림의 비쩍 마른 남자가 앉아 있었다. 그때까지 줄곧 경제·경영 잡지들을 읽는 데에 몰두해 있던 그가 말참견을 하지 않고는 더 이상 배길 수가 없었는지 실례를 무릅쓰고 그들의 이야기에 끼어들었다.

「죄송합니다. 일부러 들으려고 한 건 아닌데, 본의 아니게 두 분의 대화를 듣게 되었습니다. 저는 두 분께 이런 점을 상기시켜 드리고 싶습니다. 라마르크의 영향을 받은 러시아의 이상한 학자들 중에 리센코라는 사람이 있었어요. 그는 라마르크의 주장이 옳다는 것을 확인한답시고 어린이들로 하여금 비참한 생활 조건에 적응하도록 강요하려고 했지요. 그렇게 해서 획득된 아이들의 성격이 다음 세대에 유전적으로 전달되는지를 보려고 했던 것입니다. 라마르크의 이론은 언어도단이에요. 아버지가 배운 것을 아들이 자동적으로 알게 된다고 생각할 수 있겠습니까? 정말 터무니없는 생각이지요.」

앞줄에 앉아 있던 다른 승객이 몸을 돌렸다. 희끗희끗한 금발에 혈색이 아주 좋은 남자였다.

「저도 두 분의 대화를 들었습니다. 제가 하고 싶은 말은 재앙을 야기한 것으로 말하자면 다윈도 마찬가지라는 것입니다. 다윈주의는 파시즘의 전주곡 노릇을 했어요. 어떤 인종이 다른 인종보다 생존하기에 더 합당하다라는 주장을 한 거나 다름없으니까요. 적합하지 않은 종의 자연 도태라는 개념은 인종차별주의로 곧장 이어지는 겁니다.」

뤼크레스는 콩라드 교수와 반 리스베트 박사의 이론을 정치적인 각도에서 바라볼 수 있다는 점을 미처 생각하지 못했다. 그녀는 두 승객의 언쟁에 귀를 기울였다.

라마르크주의를 반대하는 승객은 이런 논리를 폈다.

「부모가 영어를 배웠다고 해서 그 자녀가 자동적으로

영어를 구사하게 되는 건 아니지 않습니까?」

상대방은 경멸의 뜻으로 어깨를 한번 들어올렸다.

「자동적으로는 못 하겠지요. 하지만 만일 내가 영국에 정착한다면, 내 아이들은 영어를 완벽하게 구사하게 될 뿐만 아니라, 저희의 조상이 옛날에 프랑스 어를 쓰면서 살았다는 것조차 잊게 될 겁니다. 그게 바로 환경에 적응하는 것이지요.」

한 남자가 통로 건너편 좌석에서 일어나 그 대화에 참여하러 왔다. 검은 정장을 말쑥하게 차려 입은 남자였다. 상의 앞깃에는 작은 금십자가가 달려 있었고, 빳빳하게 풀을 먹인 흰 셔츠의 깃은 사제 신분임을 나타내는 둥근 깃이었다.

「안녕하십니까? 마티아 신부입니다.」

그는 그렇게 자기를 소개하더니, 뤼크레스를 향해 말했다.

「제가 그 수첩을 잠시 볼 수 있을까요? 저도 인류의 기원에 관한 그 여러 가지 이론들을 검토해 보고 싶어서 그럽니다.」

뤼크레스가 신부에게 수첩을 내밀자, 그는 서둘러 페이지를 넘기며 내용을 훑어보았다.

「자, 그러면 이 여러 가지 이론들을 하나씩하나씩 따져 볼까요? 별똥별이 바이러스를 가져왔다고요? 그건 불가능합니다. 대기권에 진입하는 순간 높은 온도 때문에 어떤 형태의 생명이든 파괴되지 않을 수 없을 테니까요. 다윈주의요? 그 주장이 옳다면, 동물원의 원숭이들도 인간이 되었을 겁니다. 라마르크주의요? 사람들을 문제 상황에 놓아두면 그들이 더 똑똑해진다고 생각하세요? 정말 그렇다면 감옥은 천재들로 가득 차게요? 모든 동물들을 잡아먹을 수 있는 슈퍼 천적의 초포식성이 인간을 만들었다고요? 그렇다면 정어리와 참치와 문어를 잡아먹는 상어는 저희를 능가하는 포식자가 전혀 없으니까 우리처럼 자동차와 총과 텔레비전을 갖게 되겠네요? 여러분, 잘 생각해 보십시오. 인류의 기원이라는 문제를 놓고 과학자들은 제자리걸음을 계속하고 있습니다. 왜 그런지 아십니까? 과학의 능력에는 한계가 있습니다. 인간의 기원이라는 장벽을 넘을 수 없다는 것이 바로 과학의 한계입니다.」

「그러면 신부님은 그 문제와 관련해서 어떤 이론을 갖고 계신가요?」

뤼크레스는 그렇게 물으며 수첩을 도로 가져갔다. 신부가 혹시 새로운 이론을 제기하면 그것도 적어 둘 생각이었다.

신부는 차분한 태도로 좌중을 둘러보며 미소를 지었다.

「내 대답은 아주 간단합니다. 인간은 하느님이 만드셨습니다.」

그의 목소리는 아주 담담하였다. 바보가 아니고서야 누가 감히 그 자명한 사실에 이의를 제기할 수 있겠느냐는 듯한 말투였다.

이지도르는 문득 갈릴레이를 떠올렸다. 지구가 둥글다

고 설파한 갈릴레이도 그처럼 차분한 어조로 종교 재판관 들을 설득하려 했을 거라는 생각이 들었다. 그러나 어조는 같은 어조로되 사람은 그 사람이 아니었다. 세상이 달라지 면서 역할이 바뀐 거였다. 그 몽매한 세기에 너무나 앞선 혁명적인 이론을 제기함으로써 동시대인들의 이해를 받 지 못하고 체제 전복적인 선구자로 비칠 수밖에 없었던 갈 릴레이의 역할을 이젠 하느님의 사도가 대신하고 있는 거 였다.

신부가 말을 이었다.

「하느님은 만물의 근원이십니다. 학자들 중에도 〈하느 님〉 가설이 타당하다는 것을 받아들이는 사람이 점점 많 아지고 있어요. 소위 과학적이라고 하는 모든 이론들이 이 가설보다 더 타당하다고 말할 수 있을까요?」

「하느님이라, 그것 참 새로운 생각이군요!」

다윈주의자가 비꼬았다.

그 불경한 언사에 아랑곳하지 않고, 신부는 검은 상의 안주머니에서 성서를 꺼내더니, 그가 보기에 인류의 기원 을 제대로 이해하는 데에 꼭 필요하다고 생각되는 구절을 큰소리로 읽기 시작했다.

「〈한 처음에 하느님께서 하늘과 땅을 지어 내셨다. ...... 하느님께서 ≪땅은 온갖 동물을 내어라! 온갖 집짐승과 길짐승과 들짐승을 내어라!≫ 하시자 그대로 되었다. 하 느님께서는 이렇게 온갖 들짐승과 길짐승과 땅 위를 기어 다니는 길짐승을 만드셨다. 하느님께서 보시니 참 좋았다.

하느님께서는 ≪우리 모습을 닮은 사람을 만들자! 그래서 바다의 고기와 공중의 새, 또 집짐승과 모든 들짐승과 땅 위를 기어다니는 모든 길짐승을 다스리게 하자!≫ 하시고 당신의 모습대로 사람을 지어 내셨다. …… 하느님께서 진 흙으로 사람을 빚어 만드시고 코에 입김을 불어넣으시니, 사람이 되어 숨을 쉬었다.〉」

「재미있는 전설인 건 분명해요. 하지만…… 전설은 어디 까지나 전설이지요.」

라마르크주의자가 그렇게 토를 달았다.

「하느님께서 말씀하시기를…….」

그때 무언가를 알리는 신호음이 기내에 울렸다. 작은 형광 게시판에 불이 들어오면서 〈담뱃불을 끄십시오〉, 〈안 전벨트를 착용하십시오〉라는 안내문이 나타나고, 스피커 를 통해서 바리톤의 음성이 승객들에게 비행기가 난기류 대에 들어왔으니 자기 자리로 돌아가라고 일렀다.

신부가 뤼크레스와 이지도르의 좌석 근처에 계속 서 있 자, 여승무원 하나가 와서 기장의 지시를 따르라고 톱상스 럽게 말하고는 신부를 그의 좌석으로 떼밀어 앉히고 손수 안전벨트의 버클을 채워 주었다.

마티아 신부는 자기 이야기를 다 끝내지 못한 것이 아 쉬워 시무룩한 표정을 짓고 있다가, 비행기가 에어 포켓 속에서 느닷없이 1백 미터 가량 뚝 떨어지자 등받이에 등 을 찰싹 기댄 채 화석처럼 꼼짝도 하지 않았다. 작은 탁자 위에 있던 플라스틱 컵들이 서로 부딪치고 쓰러졌다. 용변이 다급해서 기장의 지시를 어기며 고집스럽게 화장실 앞에 줄을 서 있던 사람들은 손으로 잡고 매달릴 만한 것을 찾다가 그것이 여의치 않게 되자 바닥에 나동그라졌다. 어떤 여자 승무원들은 몸의 균형을 잃고 승객의 무릎에 주저앉기도 했다. 한 승무원은 흡사 헤엄을 치듯이 한 줄 한 줄 나아가다가 보조 의자에 다다르자 그것이 구명 부레라도 되는 양 꼭 껴안았다.

이지도르는 재미있다는 표정을 지으며 뤼크레스의 귀에 대고 속삭였다.

「하느님은 우리가 당신에 대해 이야기하는 것을 별로 좋아하지 않으시는가 봐요.」

그러더니 통로 건너편의 마티아 신부를 향해 소리쳤다.

「〈하느님의 이름을 함부로 부르지 마라〉, 이것도 하느님의 가르침 가운데 하나가 아닙니까?」

그러나 신부는 눈을 감은 채 한창 기도를 올리는 중이었다. 한편, 라마르크주의자와 다윈주의자는 조금 전에는 종교에 그토록 무관심한 태도를 보였지만, 이제는 신부를 따라서 기도를 올리고 싶은 마음이 간절해졌다.

뤼크레스가 한 가지 사실을 일깨웠다.

「어쨌든 〈우리는 어디에서 왔는가?〉라는 질문만 던지면 불쑥 나타나서 훼방을 놓던 원숭이가 이번에는 나타나지 않았군요.」

「글쎄요. 지금 원숭이의 신이 우리를 놀리고 있는지도 모르잖소?」

이지도르는 그렇게 되받고 자기의 뚱뚱한 배를 고통스럽게 압박하는 안전벨트를 잡아당겼다.

그는 기창 밖을 내다보았다. 하늘이 더욱 어두워지고 있었다. 잇달은 에어 포켓 때문에 비행기가 마치 세탁기의 통 속에 든 작은 빨래처럼 요동을 쳤다. 사람들이 비명을 지르고 병들이 통로에서 굴러다녔다. 선반의 뚜껑문이 여기저기 열리면서 잡다한 내용물이 승객들의 머리와 어깨로 쏟아져 내렸다. 난데없이 짐 벼락을 맞은 승객들은 겁에 질려 울부짖었다.

비행기는 일부러 박자를 맞추듯이 계속 오르락내리락 하였다.

앞 줄에 앉은 라마르크주의자는 적응을 그토록 강조하던 사람임에도 그 극단적인 조건에는 도무지 적응이 안 되는 모양이었다. 아까 먹었던 기내식이 도로 넘어오려고 하자, 그는 부랴부랴 자기 앞의 그물 주머니를 뒤져 종이 봉지를 찾아냈다. 항공사 측에서 허약한 승객들을 위해 마련해 둔 바로 그 봉지였다.

한편, 통로 쪽 좌석에 앉은 다윈주의자는 그의 자리를 빼앗을 것처럼 서 있던 남자가 그의 쪽으로 쓰러지는 바람에 드잡이를 하듯이 그 남자와 맞붙어 있었다. 한 사람은 몸을 기울인 채로, 다른 한 사람은 자리에 앉은 채로, 그들은 서로 멱살을 잡고 소리 없이 싸웠다. 다윈주의자가 신봉하는 적자 생존의 법칙에 따르자면 결국 두 사람 중에서 더 강한 자가 선별되어 그 좌석을 차지하게 될 거였다.

신부는 여전히 기도를 읊조리고 있었다. 마치 그 기도에 응답이라도 하듯이 스피커를 통해 바리톤 음성이 다시 흘러나왔다.

〈승객 여러분, 동요하지 말고 침착하십시오. 각자 자기 자리로 돌아가 주십시오. 우리는 지금 난기류대를 통과하고 있습니다.〉

그러나 그 목소리는 전혀 침착하지 않았다. 뤼크레스는 그 목소리에서 공포의 기미를 감지하고 이지도르의 팔에 매달렸다.

아기들 우는 소리가 자지러졌다. 자루에 담아 몰래 기내에 들여온 개들이 자루를 빠져나가서 소동을 더욱 부추겼다.

소동이 조금 가라앉으면서 램프가 깜박거리는 기내에 무거운 침묵이 조금씩조금씩 퍼져 나갔다. 비행기는 난기류를 잇달아 통과하면서 더욱 심하게 요동치고 있었다. 마치 너울이 센 바다에서 트롤 어선이 사나운 물결을 타고 오르락내리락하는 것 같았다.

자기의 비계살을 구명대로 삼고 느긋하게 앉아 있는 이지도르만이 유일하게 그 묵시록적인 광경을 즐기고 있는 듯했다.

「이런 커다란 쇳덩어리가 떨어지지 않고 공중에 머물러 있는 게 늘 신기하더라니.」

뤼크레스는 그의 농담에 대꾸하지 않았다. 자기 앞에 느닷없이 떨어진 산소 마스크와 씨름하느라고 그럴 겨를

이 없었던 거였다.

비행기가 다시 아래로 뚝 떨어지면서, 희미한 수면등 몇 개만 남겨 놓고 기내의 전등이 모두 꺼졌다.

이지도르가 얼굴을 기창에 붙인 채 말했다.

「비행기가 급강하하고 있는 것 같군요.」

그가 정중하게 덧붙였다.

「뤼크레스, 우리가 앞으로 몇 분 내에 죽게 될 경우를 생각해서 하는 말인데요, 길지 않은 시간이지만 당신과 함께 일하면서 대단히 즐거웠어요.」

뤼크레스는 놀라서 말을 더듬었다.

「고마워요……. 저도…… 마찬가지예요.」

그녀는 두 손으로 의자의 팔걸이를 꽉 움켜쥐고 있었다. 손가락에 너무 힘을 주고 있어서 팔걸이에 착 달라붙은 그 손가락들을 도로 떼어 낼 수 없을 것만 같았다.

그때 갑자기 폭풍이 멎었다. 시작할 때만큼이나 끝날 때도 갑작스러웠다. 이제 추락하는 느낌도 없었고 요동도 없었다. 기내에 불이 다시 들어왔다.

〈승객 여러분, 이제 안전벨트를 푸셔도 됩니다〉하고 바리톤 음성이 친절하게 알려 주었다.

〈오〉하고 〈아〉하는 안도의 소리가 기내에 울려 퍼졌다. 어려운 상황을 잘 헤쳐 나온 조종사들에게 박수 갈채를 보내는 사람들도 있었다. 참을성 없는 승객들이 다시 화장실 쪽으로 몰려가면서 이내 줄이 다시 만들어졌다. 뤼크레스는 팔걸이에 달라붙어 있던 손가락들을 하나씩하나씩 떼어 냈다.

비행기는 이제 난기류대를 완전히 벗어난 모양이었다. 기창 너머로 검은 구름 한 점 보이지 않았고, 구름에 가려져 있던 태양이 다시 찬연하게 빛나기 시작했다.

신부와 라마르크주의자와 다윈주의자는 여전히 자리에 꼼짝 않고 앉아 있었다. 자기들이 곧 죽을 거라고 생각했던 그들은 인류의 기원에 대해서 토론을 계속하고 싶은 생각이 전혀 없어 보였다.

한 여승무원이 헤드폰을 나누어 주는 동안 다른 여승무원은 승객들에게 기창의 커튼을 내려 달라고 부탁했다. 승객들은 둘 중의 하나를 선택할 수 있었다. 기내에서 상영하는 영화 「스타워즈」를 볼 수도 있었고, 원기를 회복하기 위해 잠을 잘 수도 있었다.

뤼크레스는 휴식을 선택하고 수면 안대로 눈을 가렸다. 이지도르는 잠이 오지 않을 것 같아서, 영화를 보는 승객들에게 방해가 되지 않을 만큼 커튼을 조금 올리고 기창 너머로 눈을 돌렸다.

〈하느님이라……〉

하느님이 수수께끼의 열쇠가 될 수 있을까? 하느님으로 모든 것을 설명하는 가설을 라마르크주의나 다윈주의와 같은 자격으로 고려할 수 있을까? 물론이다.

구름 사이로 아래를 내려다보니 이리저리 얽혀 있는 도로들이 보였다.

하느님 눈에는 우리가 어떻게 보일까? 어쩌면 땅에 붙

어 오글거리는 작은 개미들로 보이지 않을까?

이제껏 비행기를 타본 사람들은 무수히 많지만 하늘 높은 곳에서 세상을 관조하는 특권을 온전히 누린 사람은 많지 않으리라고 이지도르는 생각했다.

비행기는 인류를 멀리 떨어져서 바라볼 수 있게 해준다. 하느님의 눈으로 세상을 볼 수 있게 해주는 것이다.

3. 말라붙어 가는 호수

그들은 지평선까지 막힌 데 없이 이어진 허허벌판을 걷고 있다.

허기진 배를 움켜쥐고 허우허우 나아간다.

그들 앞에 넓은 진창이 펼쳐진다. 말라붙어 가는 호수인 모양이다. 많은 하마들이 진흙탕 속에 웅크리고 있다. 뜨거운 햇살을 피하자면 물 속에 들어가는 것말고는 달리 방법이 없다. 그런데 수위는 자꾸 낮아지고, 하마들에겐 예전의 안식처였던 그곳을 떠날 용기가 없다. 그래서 하마들은 물이 깊은 자리를 차지하기 위해 저희들끼리 필사적으로 싸우는 쪽을 선택한다.

그들 무리는 이동을 멈추고, 하마들이 주거 문제를 해결하기 위해 서로 싸우고 해치는 그 엄청난 광경을 구경한다. 거대한 짐승들이 서로의 주둥이를 물어뜯으려고 긴 이빨을 드러내고 있다. 싸움에 진 자는 물이 얕은 곳으로 가서 등이 벌겋게 익는 것을 감수해야 한다.

그는 하마들과 자기의 무리를 비교해 본다. 그의 무리는 아직 원시적일지는 모르지만, 그래도 살던 곳에 문제가 있으면 다른 곳으로 용감하게 이동할 줄 안다. 그에 반해서, 이 말라붙어 가는 호수의 하마들은 다른 곳으로 옮겨 갈 생각을 하기보다는 제자리에 머물러 서로 싸우고 해칠 생각만 한다. 결국 그들 중에서 마지막으로 살아남는 자들은 동족을 가장 많이 해친 자들이 되는 셈이다.

무엇 때문에 이토록 많은 폭력이 빚어지는 것일까? 움직이기 싫어하는 습성 때문이다.

그는 문득 중요한 지혜의 법칙 하나를 깨닫는다. 〈변화를 받아들여야 한다.〉

무리의 우두머리는 좋은 자리를 차지하려고 싸우다가 다친 하마 한 마리가 죽기를 기다리자고 제안한다. 기다리면 놈의 고기를 먹게 되리라는 것이다.

하마들의 수중전을 본격적으로 관람하기 위해 그들은 아예 호수 가장자리에 앉아 마음에 드는 선수를 응원하기 시작한다. 그들은 되도록 아주 살진 놈이 패자가 되기를 바라고 있다.

하마들의 전투는 정말 볼 만하다. 흙탕물이 사방으로 튀고 울음소리와 뛰는 소리에 땅이 진동한다. 힘과 어리석음이 하나로 어우러지는 것을 보는 것은 참으로 즐거운 일이다. 하마들의 더러운 살가죽에서 피가 흐른다. 그들은 성이 나거나 겁에 질려 울부짖으며 서로 귀와 목을 물어뜯는다.

255

무리의 식구들은 참을성 있게 기다린다. 사냥감들이 저희끼리 싸우다가 죽기를 기다리는 것, 그것은 아주 훌륭한 사냥법이다.

이윽고 다친 하마 한 마리가 동작을 멈춘다. 잡아먹어도 될 듯하다. 무리의 식구들은 그 하마에게 다가가서 돌멩이로 살가죽에 구멍을 내기 시작한다. 하마가 다시 꿈틀거린다.

다른 하마들은 두 다리로 걷는 작은 동물들이 몰려와 자기네 식구 하나를 갈기갈기 찢는 것을 보고 충격을 받지만, 자기들의 자리를 잃을까 두려워 움직일 엄두를 내지 못한다.

무리의 식구들은 하마들의 어리석음을 즐긴다. 하마는 부피가 더 큰 뇌를 타고났음에도 영토의 방어에 바탕을 둔 문화 때문에 삶의 지평이 제한되어 있는 종이다.

〈따지고 보면 우리는 가장 진화된 편에 속한다. 우리가 꼭 영리하다고 볼 수는 없지만, 다른 동물들은 우리보다 훨씬 더 어리석지 않은가〉 하고 그는 생각한다.

쓰러진 하마의 몸뚱이에 구멍이 뚫린다. 몇몇 식구들이 마치 동굴 안으로 들어가듯이 하마의 몸뚱이 속으로 내려가 뱃속을 뒤진다. 어린 식구들도 재미 삼아 따라 내려간다. 그러나 냄새가 너무 독하기 때문에 어른들의 굴착 작업이 끝나기를 기다리기로 한다. 단백질 덩어리가 손에서 손으로 건네진다. 오늘 그들은 굶주리지 않을 것이다.

그런데 난데없이 어떤 사나운 짐승의 으르렁거리는 소

리가 들려 온다. 그들은 모두 소스라치게 놀라며 소리 나는 쪽으로 고개를 돌린다.

암사자다!

그들은 모두 등골이 서늘해짐을 느낀다. 사자 한 마리가 있다는 것은 여러 마리가 또 있다는 것을 뜻한다. 그리고 사자가 여러 마리 있다는 것은 놈들이 사냥을 하고 있다는 것이고, 놈들이 사냥을 하고 있다는 것은 놈들이 그들을 잡아먹고 싶어 한다는 뜻이다.

그들은 다른 사자들이 어디에 있는지를 알기 위해 주위를 둘러본다. 놈들은 그들을 포위하고 퇴로를 차단하기 위해 틀림없이 어딘가에 숨어 있을 것이다. 말라붙어 가는 호수 가장자리의 갈대밭이 수상쩍다. 놈들이 매복하기에 딱 좋은 곳이다.

무리의 우두머리가 날카로운 외침으로 신호를 보낸다. 어떻게든 달아나야 한다는 뜻이다. 하마의 뱃속에 들어갔던 식구들은 그 안에 숨어 있을 것인가 나갈 것인가를 놓고 망설이다가 도로 나가기로 결심한다.

바로 그때, 그들의 오른쪽으로 암사자 세 마리가 나타난다. 당장 달아나야 한다. 사자에 맞서서는 할 수 있는 일이 아무것도 없다.

달아나자!

암사자 세 마리가 그들을 한 방향으로 몰아간다. 진동한 동 달아나는 그들 앞에 이번에는 한 줄로 늘어선 암사자 여섯 마리가 갑자기 나타난다. 아뿔싸, 함정이었다! 사자

257

들은 하마 고기를 먹으러 온 게 아니다.

이제 모두가 고이 살아남기는 글렀다.

이 궁지에서 벗어나려면 무거운 짐을 버리는 수밖에 없다. 무거운 짐이란 어린 식구들과 병자들과 늙은이들이다. 그러나 무리 전체를 위해서 그들이 해야 할 일이 무엇인지를 굳이 그들에게 알릴 필요는 없다. 달리는 게 느려서 저절로 적에게 잡히기 때문이다. 한 지배적 수컷은 늙은 수컷 하나가 자기만큼이나 빨리 달리는 것을 보고 다리를 걸어 버린다.

하이에나를 사냥할 때 미끼 노릇을 했던 그는 누구 못지않게 빨리 달린다. 그는 사자들을 따돌리는 방법을 알고 있다. 사자들은 빨리 달리지만 장거리를 달려 끈질기게 쫓아오지는 않는다. 그런 점에서 사냥감을 며칠 내내 쫓아다니는 하이에나와는 다르다.

암사자들이 그의 식구들 중에서 셋을 잡아 갈기갈기 찢는다. 사냥이 끝났다.

사자는 제가 원하던 것을 얻으면 초식 동물처럼 순해진다. 이제 아무런 위험 없이 사자들 옆을 지나갈 수 있다.

두려움이 가시자 살아 있다는 기쁨이 찾아온다. 그들은 먹이를 먹었고 사자들의 공격에서 살아남았다.

그거면 됐지, 삶에서 무엇을 더 바라겠는가?

4. 추적

낮게 깔린 구름 사이로 꼭대기에 만년설을 이고 있는 거대한 바위산이 불쑥 나타났다. 킬리만자로. 그 장엄한 기상, 아름다운 자태. 하늘에서 내려다본 킬리만자로는 감탄이 저절로 나오게 하는 명산이었다.

위에는 작열하는 태양, 아래에는 끝없이 펼쳐진 초원. 마침내 아프리카에 온 것이 실감으로 다가왔다.

비행기가 힘겹게 뭍에 내려앉았다. 그러더니 아스팔트를 뚫고 나온 풀을 한가로이 뜯고 있던 임팔라와 톰슨 가젤을 피하려고 애쓰면서, 군데군데 밑바닥이 빠진 활주로를 지그재그로 달렸다. 활주로 옆에서 어슬렁거리던 원주민들은 그 하얀 쇳덩이를 재미있다는 듯이 바라보고 있었다. 쇳덩이 주제에 새들을 흉내 낸답시고 둔중하게 흔들거리는 꼴이 가소로웠던 모양이다.

펠리컨 몇 마리가 커다란 날개를 활짝 펴고 나란히 내려오고 있었다. 마치 착륙은 이렇게 사뿐하게 해야 한다는 것을 조종사들에게 보여 주려고 그러는 것 같았다. 어떤 펠리컨은 아무런 예비 동작도 없이 단숨에 말뚝 끄트머리에 내려앉는 묘기까지 보여 주었다.

트랩이 놓이고 승객들이 내리기 시작했다. 냉방이 되던 기내를 빠져나오자 공기가 숨이 막힐 듯 무더웠다. 금방이라도 녹아 내릴 것처럼 한껏 달구어진 태양이 지상의 모든 생명을 가공할 열기로 짓누르고 있었다. 단지 무람없는 파리 떼만이 날개도 없는 쇳덩이가 어떻게 나는지를 알아보려는 듯 비행기 주위에 날아와서 윙윙거렸다.

더위와 습기의 격려를 받은 풀들이 시멘트 바닥을 뚫고 여기저기 올라와 있었다. 여행자들은 세관을 통과하면서, 50달러를 탄자니아의 실링과 바꾸어야 했다. 그 환전은 탄자니아에 들어오는 여행자의 의무 사항이었다.

뤼크레스는 선글라스를 끼고 머리를 보호하기 위해 모슬린 스카프를 둘렀다.

「이제 어떻게 하죠?」

뤼크레스가 그렇게 묻자, 이지도르가 대답했다.

「우리 아버지들의 아버지가 어디에선가 우리를 기다리고 있어요.」

「이 넓은 땅에서 그를 어떻게 찾죠?」

「우선 저 바에 편안히 앉아서 짐이 나오기를 기다리죠.」

그들은 콜라 두 잔을 주문했다. 몸이 호리호리한 젊은 웨이터가 그들 앞에 음료를 내려놓았다. 그건 콜라가 아니라 바닥에 검은 찌꺼기가 가라앉아 있는 투명한 음료였다. 웨이터는 병을 흔들어 두 화학 물질을 잘 섞어 마셔야 한다고 설명한 다음, 반짝거리는 이로 병 뚜껑을 땄다.

아이들이 몰려와 두 기자를 에워싸더니 특산 수공 보석을 사라면서 영어로 터무니없이 높은 가격을 불렀다.

「하파나 아산테 사나.」

이지도르가 그렇게 말하자, 아이들은 놀란 표정을 짓고 깔깔거리면서 달아났다.

「방금 뭐라고 하신 거예요?」

「〈하파나〉는 아니다라는 뜻이고 〈아산테 사나〉는 고맙다라는 뜻이에요. 스와힐리 어예요.」

「아니, 스와힐리 어를 할 줄 아세요?」

이지도르가 벌쭉 웃으며 대답했다.

「하는 척한 거지요.」

그는 한 쪽 겨드랑이에 끼고 있던 책을 슬그머니 빼냈다. 탄자니아 관광 안내서였다. 그가 펼쳐 놓은 페이지에는 관광객들에게 꼭 필요한 문장, 이를테면 〈화장실이 어디예요?〉라든지 〈이거 너무 비싸요〉, 〈변호사를 불러 주세요〉, 〈저의 나라 대사관에 연락해 주세요〉, 〈아니오, 나는 그것에 관심이 없습니다〉와 같은 문장 스무 개가 나와 있었다.

천장에 달린 커다란 선풍기가 휘휘 돌아가면서 말라리아를 퍼뜨릴지도 모를 모기 떼를 쫓고 있었다. 선풍기 날개에 부딪힌 모기 떼가 산발적인 가랑비처럼 그들 주위로 떨어지곤 했다.

「자 그러면 우리 여행의 다음 노정에 대해서 얘기를 해볼까요? 어디로 가는 게 좋겠어요?」

뤼크레스가 물었다.

「예의 그 원숭이를 따라갑시다.」

「거울 표면에 있던 그 S자가 정말 원숭이를 뜻하는 걸까요?」

그녀의 뚱뚱한 동행자는 거대한 어깨를 으쓱 들먹였다.

「글쎄요. 설령 그렇다 해도 이 사건에는 둘 이상의 서로 다른 원숭이가 개입하고 있어서 그 중의 어떤 자를 가리키는지 알 수가 없지요. 우선 내 집 근처에서 당신을 납치했던 원숭이 가면을 쓴 패거리가 있어요. 아제미앙 교수를 죽인 것은 그들일 가능성이 아주 많아요. 두 번째는 지금 우리가 추적하고 있는 곡예 원숭이예요.」

「동물 해방 전선에도 원숭이 가면을 쓴 자들이 있었잖아요.」

「이제 사람 가면을 쓴 원숭이만 있으면 구색이 다 맞는 셈이군요.」

「S는 샌더슨이나 소피 엘뤼앙이나 솔랑주 반 리스베트를 가리키는 것일 수도 있어요.」

「아니면 사탄이나 뱀[16]을 뜻하는 것인지도 모르지요.」

「그 곡예 원숭이가 범인이라고 가정할 경우에, 문제는 이런 거예요. 그자는 왜 별똥돌의 가설을 주장하는 천문학자에게 돌을 던지고, 우연을 강조하는 생물학자를 러시안 룰렛으로 기절시키고, 적응 이론의 열렬한 지지자를 암호 자물쇠가 달린 우리 안에 가두었을까 하는 거죠.」

「그자의 유머를 이해할 수 없다는 건가요?」

이지도르가 그렇게 되물었다.

반바지 차림의 관광객들이 오목(烏木) 조각품을 흥정하며 내는 왁자한 소리가 홀 안에 울려 퍼졌다. 그들이 사려

---

16) 뱀을 뜻하는 프랑스 어 *serpent*의 머릿글자도 역시 S이다.

는 민속 공예품의 한 귀퉁이에 〈메이드 인 싱가포르〉라는 글자가 아주 분명하게 새겨져 있었지만, 그들은 그런 것에 별로 개의치 않았다. 오히려 토산품이 아님을 입증하는 그 생산지 표시를 빌미로 물건 값을 더 깎으려 드는 것 같았다.

「혹시 그 곡예 원숭이가 그냥 장난을 치고 있는 건 아닐까요?」

뤼크레스가 그렇게 말하자, 이지도르가 되받았다.

「그냥 재미 삼아 하는 일치고는 너무 치밀하게 계획된 것 같지 않아요? 분명히 무슨 목적이 있을 거예요.」

빙빙 돌아가는 화물 회수대 위로 가방들이 큰소리를 내며 굴러떨어지기 시작했다. 여행자들은 되도록 빨리 짐을 찾으려고 팔꿈치를 놀리며 선두 다툼을 벌였다. 짐을 찾은 승객들은 서둘러 밖으로 나가서 관광객들을 위해 대기하고 있던 하얀 소형 버스에 올라탔다.

버스 안에서는 상인들이 돌아다니며 물건을 팔고 있었다. 물건의 종류는 가지각색이었다. 〈아이 러브 탄자니아〉라는 글자가 찍힌 티셔츠를 비롯하여, 정글이 배경으로 들어간 다마고치, 1회용 카메라, 정력제로 쓰이는 코뿔소 가루, 물소 가죽으로 만들었음이 보증된 작은 탐탐, 원숭이 가죽으로 만들었다는 탬버린, 신성한 것으로 여겨진다는 전통 의식용 가면, 킬리만자로 산 위에 비낀 진보랏빛 낙조를 그린 그림, 햄버거, 생수, 새끼 악어의 다리로 장식된 열쇠 고리, 말을 진짜 상아로 만든 체스 도구, 자외선 차단

크림, 무슨 동물의 이빨로 만든 것인지가 분명치 않은 이빨 목걸이, 얼룩무늬 모조 가죽으로 만든 수영복, 영화 「인디애나 존스」의 비디오카세트, 〈정글 속에 들어온 기분을 느낄 수 있게 해준다〉는 정글의 소리 음반, 역시 특산품임이 보장된 건초 담배⋯⋯.

손님들이 유혹에 잘 넘어간다 싶으면, 장사꾼들은 내친김에 플라스틱으로 만든 에펠 탑이나 검은 나무로 만든 베네치아의 곤돌라, 곱돌로 만든 자유의 여신상까지 서슴지 않고 내밀었다.

관광객들은 본격적인 관광도 하기 전에 그렇게 기념품을 구입하는 것으로 축제를 시작하고 있었다. 그들은 상인들의 가짜 보물 더미에 넋이 팔려서 주위의 풍경과 그 안에서 뛰노는 야생 동물 구경하는 것을 잊고 있었다. 이따금 새끼 원숭이들이 버스 지붕에 매달려 금속 우리에 갇힌 관광객들을 말끄러미 바라보곤 했다.

뤼크레스가 탄자니아 지도를 무릎에 펼쳐 놓고 들여다보다가 말문을 열었다.

「그들을 어떻게 찾죠?」

이지도르가 큼지막하고 퉁퉁한 손으로 그녀의 어깨를 다정하게 토닥이며 대답했다.

「고생물학자들이 밝혀 낸 인류의 발자취를 거슬러 올라갑시다. 가장 늦은 것에서 가장 앞선 것으로.」

뭉툭한 손가락 하나가 지도 위를 잠시 헤매다가 〈은고롱고로 국립공원〉이라고 표시된 초록색 지역에서 멈추었다.

이지도르는 지도 위로 몸을 숙여 작은 동그라미를 가리켰다. 그 밑에는 〈래톨리: 고생물학 박물관〉이라고 적혀 있었다.

뤼크레스는 그 아래의 괄호 안에 씌어 있는 것을 읽었다. 〈인류의 가장 오래된 발자취가 남아 있는 곳.〉 문득 언젠가 이지도르가 〈관찰만 잘 하면 모든 것을 알아낼 수 있다. 정보는 늘 곳곳에 널려 있다〉는 식으로 말했던 것이 떠올랐다. 그의 말이 옳았다.

모기 한 마리가 날아오더니 그녀의 피를 빠는 대신 반(反)응고성 타액을 조금 남겨 놓고 도로 떠나갔다. 뤼크레스는 몸을 긁적이기 시작했다. 이지도르도 몸을 긁기 시작했다. 아프리카가 그들을 가렵게 하고 있었다.

5. 서로 긁어 주기

온통 걱정에 휘말려 있던 그런 시간을 보낸 뒤에는 모든 걸 잊고 잠시 휴식을 취하는 것이 좋다. 그런데 몸과 마음의 긴장을 푸는 방법으로 서로 긁어 주기보다 더 좋은 것이 있을까?

그들은 바오밥나무 그늘에 들어가 사방이 탁 트인 곳에 자리를 잡는다. 혹시 훼방꾼이 나타나더라도 멀리에서 금방 알아차릴 수 있으려면 시야가 막힌 곳은 피해야 한다.

서로 이나 벼룩을 잡아 주고 가려운 곳을 긁어 주는 시간, 집단적인 몸단장의 시간. 이는 구성원간의 관계를 긴밀하게 함으로써 무리의 단결을 공고히 하는 아주 중요한 시간이다.

이 의식은 언제나 똑같은 절차에 따라 진행된다. 먼저 남을 긁어 주려는 자가 자기가 긁어 주고 싶은 자의 면전에 가서 긁어 주겠다는 뜻을 밝힌다. 그 뜻을 알리는 방법은 특정한 표정을 지어 보이고 위아래 입술을 부딪쳐 쩝쩝 소리를 낸 다음 입술을 앞으로 내민 상태에서 혀끝을 보여 주는 것이다. 그러면 상대는 시원하게 긁어 주었으면 좋겠다고 생각되는 가려운 곳을 가리킴으로써 그 제안을 받아들인다.

긁어 주고 싶은 사람을 고를 때는 반드시 이나 벼룩이 많은 사람을 고르는 것이 아니다. 대개는 기존의 관계를 더욱 돈독하게 하거나 새로이 관계를 맺고 싶은 상대를 고른다. 예를 들어, 어미는 자기의 어린것을 긁어 주고 싶어하고, 서로 싸움을 벌인 지배적 수컷들은 화해하는 뜻으로 서로를 긁어 주려고 한다. 그런가 하면, 아직 교접을 경험하지 못한 암컷들은 애정의 표시로 자기를 긁어 주는 수컷이 나타나기를 바란다. 또 늙은 식구들은 자기네가 아직 쓸모 있다는 것을 증명하고 싶어서 아무나 긁어 주려고 애를 쓴다.

서로 긁어 주기 의식은 무리의 두 구성원으로 하여금 공격성을 전혀 보이지 않고 서로 가까이 다가가 상대의 몸을 만질 수 있게 해준다. 긁어 주기에는 마음을 편안하고 차분하게 해 주는 효과가 있다. 그래서 약자는 자기가 두려워하는 자의 비위를 맞출 수 있고 강자는 자기가 겁을 주고 싶어 하지 않는 자를 달랠 수 있다.

모두가 가장 가려운 곳을 찾아서 긁적거린다. 어미들은 재게 손을 놀려 어린것들의 털을 쓸어 주고 돌출한 부스럼 딱지를 찾아내어 가장 뾰족한 손가락으로 살살 긁어 준다.

긁는 방법도 제각각이다. 손으로 긁는 자들이 있는가 하면, 발을 사용하는 자들도 있다. 그들의 발가락은 아주 길기 때문에 털가죽 속을 뒤져 가려운 곳을 찾아내는 데에 전혀 어려움이 없다. 더러는 손과 발과 이빨을 동시에 사용하는 자들도 있다.

서로가 애정을 주고받는 참으로 중요한 시간이다. 그들은 서로를 발견하고 서로를 만지고 서로의 살갗을 탐색한다. 이따금 털 속을 뒤지다가 작은 목숨붙이나 기생충의 알을 찾아내면, 그것들을 입으로 가져가서 씹어 먹기도 하고 이빨로 터뜨려 희멀건 즙을 내기도 한다.

털가죽이 말끔해지자 모두 상쾌한 기분을 느낀다. 훌륭한 하루였다. 하마 고기도 먹었고, 사자들의 공격을 받고도 살아남았으며, 몸단장도 깔끔하게 했다. 모두가 하나 되어 강력한 무리를 이루고 있다는 느낌이 든다.

무리의 우두머리는 이제 북쪽을 향해 다시 떠날 때가 되었다고 알린다.

자, 새로운 모험을 향해서 전진!

6. 발자국

땅바닥에 커다란 발자국이 찍혀 있었다. 손 하나가 앞으로 나아갔다. 그 손에 들려 있던 솔이 발자국 위에 얇게 켜를 이룬 흙먼지를 문질렀다. 그러자 발자국이 더욱 잘 보였다. 마치 땅거죽을 살살 쓰다듬어 주자 그것의 비밀이 드러나고 있는 것 같았다. 솔이 다시 흙먼지를 쓸었다. 발자국의 형태가 더욱 뚜렷해졌다.

모두가 깊은 생각에 잠겨 그것을 내려다보고 있었다. 누군가 확신에 찬 목소리로 말했다.

「지금으로부터 3백만 년 전에 화석화한 발자국입니다. 엄지발가락이 다른 발가락들에서 분화하여 차별성을 갖게 되었다는 점과 발바닥이 이중으로 굽어 있다는 점이 특징이지요. 바로 사람의 특성을 지니고 있다는 얘기지요. 이 때문에 사람들은 이 발자국을 일컬어 미싱 링크가 남긴 최초의 발자취라고 하는 거예요.」

목소리의 주인공은 흙먼지를 조금 더 쓸어 냈다.

거기에 오기까지 이지도르 카첸버그와 뤼크레스 넴로드는 관광객들로 만원을 이룬 후텁지근한 버스 안에서 몇 시간 동안이나 이리저리 까불려야 했다. 버스는 은고롱고로 국립 공원으로 가는 비포장 도로를 따라 숨가쁘게 달렸다. 그들은 오후 늦게야 래톨리 발굴 작업장에 다다랐다. 그곳은 대중에게는 개방되어 있지 않았다. 그러나 연구 책임자인 제임스 맥로린은 두 프랑스 기자가 그 〈발자국〉 구역이라고 불리는 곳을 구경하도록 허락해 주었다.

제임스 맥로린은 웅숭깊은 목소리를 지닌 금발의 거인이었다. 밝은 빛깔의 긴 턱수염이 그의 목을 덮고 있었다. 그의 모습은 천생 흙을 파며 사는 사람이라는 느낌이 들게 했다. 옷이란 옷은 모두 흙먼지로 덮여서 본래의 색깔을 가늠할 수 없게 되어 버렸고, 팔이건 손이건 얼굴이건 옷밖으로 드러난 신체 부위에도 어디에나 흙이 잔뜩 묻어 있었다. 그의 상의에는 여남은 개의 솔이 걸려 있었고, 허리띠에는 이 빠진 금속제 긁개 몇 개가 매달려 있었다.

「발이 예쁘게 생겼죠? 안 그렇습니까?」

두 기자는 발자국 위로 몸을 기울였다. 뤼크레스가 수첩에 발자국을 그려 넣고 있는 동안, 이지도르는 커다란 엉덩이를 땅바닥에 붙이고 앉아 돋보기를 들고 발자국의 아주 세밀한 부분까지 꼼꼼하게 살펴보고 있었다.

「꼭 살인자의 발자국을 조사하고 있는 것 같군요.」

맥로린의 농담에 뤼크레스가 대꾸했다.

「그거하고 좀 비슷해요. 사실 우리는 아제미앙 교수의 살인자를 찾고 있는 중이거든요.」

발굴 책임자는 수염을 쓰다듬으면서 그녀의 말에 관심을 보였다.

「아제미앙 교수는 내가 잘 아는 사람이었어요. 처음에는 그도 여기에서 발굴 작업을 시작했는데 얼마 안 가서 래톨리의 두 번째 유적을 발견했지요.」

그는 두 사람을 울타리가 쳐진 다른 작업장으로 데려갔

다. 그곳에서는 젊은 학생들이 몸을 구부린 채 긁개와 붓으로 토층을 조심스럽게 걷어 내고 있었다.

고생물학자 맥로린은 화석을 찾기 위해 얼마나 끈질긴 노력이 필요한가를 설명했다.

「화석을 찾는 것은 대단히 어려운 일입니다. 대부분의 동물들은 죽고 나면 자연적인 훼손자들에 의해 깡그리 소멸됩니다. 우선 천적이나 죽은 고기를 먹는 짐승들이 가만히 내버려 두지를 않고, 그 다음엔 파리와 다른 벌레들이 꾀어 듭니다. 시체는 점점 더 작은 곤충들의 차지가 되다가, 마지막으로 박테리아의 분해 작용을 거치고 나면 그저 먼지로 남게 되지요. 어떤 동물의 뼈대나 시체가 전혀 훼손되지 않은 채로 발견되는 것은 대개 어떤 사고가 일어났기 때문에 가능한 일입니다. 이를테면, 흐르는 모래에 떨어져 죽는 바람에 모래가 시체를 보호해 주었다던가, 빙하에 떨어져 죽으면서 시체가 얼음 속에 갇혀 보전된 경우, 아니면 아주 작은 동물들이 송진 따위의 수지와 함께 땅속에 묻혀 호박(琥珀) 속에서 발견되는 경우 등이지요.」

「이곳에서는 화석이 많이 발견되었나요?」

「아니에요. 여기에서는 오랫동안 내가 조금 전에 보여 드린 발자국말고는 발견된 게 없었어요. 그러던 차에 아제미앙 교수가 왔지요. 그는 발자국들을 면밀하게 조사하고 난 뒤에 이렇게 결론을 내렸지요. 〈이 발자국을 남긴 자들은 당시에 어떤 한 방향으로 달리고 있었음에 틀림없다〉라고 말입니다. 그는 그 발자취를 따라갔어요. 그러다가 몇 년 후에 저기 보이는 저것을 발견하게 된 겁니다.」

그러면서 맥로린은 두개골 하나와 뼈들의 형상이 분명하게 드러나 있는 곳을 가리켰다.

「저건 어떤 동물들의 화석이지요?」

「한 영장류 동물과 하이에나 두 마리의 것입니다.」

뤼크레스와 이지도르는 땅에 새겨진 그 형체들을 찬찬히 살펴보았다. 맥로린의 설명이 이어졌다.

「이 영장류 동물은 두 마리의 하이에나에게 쫓기고 있었던 게 틀림없어요. 세 동물은 진흙탕 속에서 오랫동안 싸웠어요. 그러다가 모두 진흙탕에 묻혀 버린 거지요. 땅의 움직임과 두더지 때문에 전체적인 모습이 조금 흐트러지긴 했지만, 이 두개골은 제법 온전해요. 이 대퇴골도 그렇고요.」

맥로린은 땅바닥에 뼈들을 그려 보이며 말했다.

「이것이 영장류 동물의 눈두덩입니다. 여기에 척추가 하나 있어요. 이 뼈는 두 하이에나 중에서 영장류 동물에 아주 가까이 있던 놈의 것입니다. 어쩌면 진흙탕에 빠지기 전에 하이에나가 영장류 동물을 물었을지도 모르지요.」

「말하자면 이 화석은 3백만 년 전에 한 영장류 동물을 추격하는 두 마리 하이에나를 우연히 찍어 놓은 사진과도 같은 거로군요.」

맥로린은 두 방문자에게 자기 집으로 가자고 권했다. 그는 나무로 지은 커다란 오두막에 살고 있었다. 전갈과 뱀 따위가 너무 쉽게 방 안에 들어오지 못하도록 말뚝 위

에 앉혀 놓은 오두막이었다. 벽에 붙어 있는 흑백 사진들
이 눈길을 끌었다. 발굴 작업장의 모습을 담은 사진들이었
다. 사진에 보이는 작업장의 석회 바닥은 바둑판처럼 작은
네모 칸으로 나누어져 있고, 각 네모 칸에는 날짜와 번호
가 매겨져 있었다.

맥로린의 설명이 계속되었다.

「여기에서 아주 가까운 곳에 신생 화산이 있습니다. 그
건 아주 다행스러운 일이지요. 우리는 뼈의 연대를 추정하
기 위해서 주로 지층에 포함되어 있는 화산재를 이용하거
든요. 화산재에는 칼륨 결정이 들어 있는데, 1백30만 년이
지나면 그 중의 절반이 아르곤으로 변합니다. 따라서 뼈
주위에 있는 흙을 분석하면 화석의 나이를 알게 되는 것이
지요. 물론 유해가 오래된 것일수록 오차가 커집니다. 어
쨌거나 방금 전에 우리가 보았던 그 영장류 동물과 하이에
나의 뼈는 3백70만 년 전의 것으로 추정되고 있습니다.」

두 기자는 맥로린이 커다란 유리컵에 따라 준 아이스티
를 조금씩 마시면서 인류의 기원에 관한 그의 견해를 들
었다.

그는 먼저 인간의 개념이 아직 공식적으로 정의되지 않
았다는 것을 문제로 지적했다. 어떤 뼈가 사람의 뼈인가
아닌가를 규정할 수 있는 절대적인 기준이 없다는 거였다.
그가 보기에 인간의 개념을 정의하는 것은 과학계의 큰 과
제였다.

「아직 탯줄에 연결되어 있는 신생아를 인간으로 생각하

지 않는 사람은 아무도 없습니다. 그렇다면, 어머니 뱃속에 있는 태아는 인간인가요? 태아가 인간이라면, 어느 시점부터 인간이 되는 거지요? 난자가 수정되는 그 순간부터인가요? 그렇다면, 여분의 난자들에 대해서는 어떤 지위를 부여해야 하지요? 또, 몇 년 전부터 코마에 빠져서 의식을 전혀 회복하지 못하고 있는 사람도 여전히 인간인가요? 만일 인간처럼 사고할 수 있는 컴퓨터가 있다면, 그것도 인간으로 간주될 수 있을까요? 복제 인간도 인간인가요? 이 문제와 관련해서 제가 짤막한 이야기를 하나 해드릴게요. 아담에 관한 이야기예요. 아담을 히브리 어로는 ADM으로 씁니다. 이 세 글자는 45라는 수에 해당합니다. 그런데 45는 다시 문자 M과 H에 대응하지요. 히브리 어의 MH, 즉 〈마흐〉는 〈무엇인가?〉라는 뜻입니다. 그러니까 히브리 사람들은 아담이라는 단어를 통해 〈인간이란 무엇인가?〉, 〈인간을 정의하는 것은 가능한가?〉 하는 문제를 제기하고 있었던 셈입니다. 그들은 고대에 이미 인간이라는 개념을 정의하는 것이 미래의 큰 문제가 되리라는 것을 깨달았던 것이지요.」

뤼크레스는 맥로린이 너무 샛길로 빠지고 있다고 생각하면서 화제를 돌렸다.

「아제미앙 교수가 인류의 기원에 관해서 뭔가 새로운 것을 발견했다는데, 그게 가능한 일이라고 보십니까?」

「그가 말년에 대단히 흥분된 모습을 보여 주었다는 점을 고려하면, 얼마든지 가능한 일이라고 생각해요. 물론 그는 여러 가지 괴상망측한 이론들을 내놓았던 사람이에요. 그것들 중에는 내가 모르는 것도 있고요. 하지만 그 점을 비판하고 싶지는 않아요. 내가 지지하는 가설 역시 어떤 전문가들이 보기에는 엉뚱하기 짝이 없는 것이니까요.」

맥로린은 자기 앞에 가져다 놓은 술잔에 〈글렌리베트〉 상표의 오래된 순(純) 몰트 위스키를 한 모금 가득 되게 따랐다. 그러는 동안 뤼크레스는 수첩을 펴 들었다.

「모든 이론을 다 검토해 본 끝에, 나는 아주 마음에 드는 것을 찾아냈어요. 해양 기원설이 바로 그것입니다.」

뤼크레스는 수첩에 〈해양 기원설〉이라고 받아 적었다.

「이것은 인간이 직접 물에서 왔다고 주장하는 이론입니다. 그러니까 옛날에 우리 인간은 〈바다의 영장류〉, 혹은 〈유인어(類人魚)〉였다는 것이지요.」

뤼크레스와 이지도르가 그 생경한 두 표현에 놀라는 기색을 보였다. 맥로린은 그것에 만족해 하며 위스키를 입 안에 가볍게 털어 넣고, 어두워져 가는 하늘에 잠시 눈길을 주다가 말을 이었다.

「돌고래들이 다시 바다로 돌아갔다는 사실, 그건 하나의 전조(前兆)예요. 돌고래들이 우리보다 앞서가는 겁니다. 우리는 그들을 따라갈 수밖에 없어요.」

「돌고래들이 바다로 돌아갔다고요? 그게 무슨 말이지요?」

뤼크레스가 수첩의 한 페이지를 얼른 넘기며 물었다.

「그거 모르고 있었어요? 5천만 년 전에 돌고래는 뭍으

로 올라와 육지 동물이 되었습니다. 그들은 커다란 바다표
범과 비슷했을 겁니다. 아니면 살갗이 매끈매끈하다는 점
만 빼고는 원숭이와 비슷했을지도 모르지요. 그러다가 그
들은 다시 물 속으로 돌아가기로 결정했어요.」

　이지도르는 자기도 알고 있는 이야기라는 듯 고개를 주
억거렸다.

　「뭍에 살던 그 포유동물들이 왜 다시 물 속으로 돌아갔
지요?」

　이지도르가 차를 마시면서 조심스럽게 자기 생각을 말
했다.

　「아마 육지에서는 중력에 눌려 전후나 좌우로밖에 이동
할 수 없는데, 바다에서는 전후 좌우는 물론 상하로도 이
동할 수 있기 때문이겠지요.」

　「맞아요. 게다가 물 속에는 기상의 문제나 온도의 문제
가 없어요. 옷도 집도 무기도 필요 없지요. 물은 옷이자 집
이자 음식이며, 비도 되고 공기도 돼요. 우리 인간은 한때
물고기였습니다. 우리의 생김새를 보세요. 우리의 살갗은
매끈매끈하고 털이 없어요. 그건 파도를 헤치며 잘 미끄러
져 다니라고 그렇게 된 걸 거예요. 우리의 귀는 고양이처
럼 머리 위에 있지 않고 양옆에 있어요. 아마 물 속에 살던
우리 조상들 귀를 물려받은 거겠지요. 우리의 발가락뼈는
3분의 2정도가 살갗에 덮여 있어요. 그건 헤엄치기에 알
맞도록 발가락 사이에 발달해 있었던 물갈퀴의 흔적일 겁
니다.」

맥로린은 더욱 설득력 있는 주장을 하고 싶었는지, 아기들의 사진을 보여 주며 덧붙였다.

「내 이론의 근거는 또 있습니다. 어머니 뱃속에서 갓 나온 아기를 바로 물 속에 넣으면, 아기는 물 속에 그대로 있어도 아무 탈이 없습니다. 아기는 본능적으로 헤엄을 칠 줄 아니까요.」

이지도르가 토를 달았다.

「아기의 다리를 잡고 엉덩이를 때려서 기침을 하게 하면, 아기는 물고기에서 대번에 공기 호흡을 하는 포유동물로 넘어가는 거지요.」

「하지만 완전히 본능에 따라 그렇게 된다고는 말할 수 없어요. 아이를 때려서 고고(呱呱)의 소리를 지르게 해야 되잖아요? 말하자면 그건 아기가 경험하는 최초의 폭력이지요. 물고기에서 공기 호흡을 하는 포유동물로 진화하도록 강요를 하는 셈이지요.」

하늘이 더욱 어두워지자 맥로린은 석유 램프의 심지를 돋우었다. 그의 뒤로 잠수 장비들이 보였다. 그는 주말이면 잔지바르 해안에 가서 잠수를 한다고 했다. 어쩌면 그것도 자기의 과학적 신념에 따른 행위일 거였다.

「나는 우리 인간이 물에서 왔으며 언젠가는 다시 물로 돌아가리라고 믿습니다. 사소하지만 그것을 드러내는 징후가 있어요. 대머리가 점점 많아진다는 것과 코가 짧아지는 경향이 있다는 것이 바로 그거예요. 우리의 몸이 갈수록 공기 역학적으로 변해 가고 있는 것 같지 않습니까? 우리는 장차 다가올 변형을 서서히 준비하고 있어요. 물 속의 집으로 돌아갈 준비를 하고 있는 것이지요.」

두 기자는 한동안 그 이색적인 이론을 머릿속에서 궁글렸다. 이윽고 뤼크레스가 다시 말문을 열었다.

「그럼 성서에 나오는 에덴은 대양일 수도 있겠네요?」

이지도르가 대꾸했다.

「기발한 생각이긴 한데, 증거가 될 만한 화석이 없다는 게 문제군요.」

「화석은 바다 속에 있겠지요. 그래서 찾아내지 못하는 겁니다. 하지만 새로운 심해 잠수정이 나오면 문제가 해결될 거라고 생각해요. 언젠가는 지느러미를 가진 원숭이의 화석을 발견하게 될 날이 올 거예요. 만일 그것을 발견하게 된다면, 그게 진짜 우리의 〈빠진 고리〉가 되겠지요. 그것은 해우(海牛)와 비슷하지 않을까 싶어요. 율리시스의 뱃사람들이 사이렌이라고 생각했던 그 이상한 동물 말이에요. 어쩌면, 그 해우가 우리의 진짜 조상일지도 모르지요.」

그는 나무 상자 하나를 뒤져 신화에 관한 책을 꺼냈다.

「고대의 신화들을 보면 인간이 바다에서 왔음을 보여주는 이야기들이 많아요. 바빌로니아 인들에게 바다는 세계의 모태였어요. 거기에서 민물의 신 〈압수〉와 짠물의 신 〈티아마트〉가 나왔고, 그 둘이 결합하여 최초의 선행 인류인 〈라크무〉와 〈라카무〉를 낳았대요. 아시리아 인들은 인간이 〈남무〉, 곧 무한한 바다에서 나왔다고 생각했지요. 인도인들은 젖의 바다에서 영원 불멸의 뱀 〈아난다〉와 세계를 등에 진 거북 〈비슈누〉가 태어났고, 그들이 함께 바다를 휘저음으로써 인간이 생겨났다고 믿었지요. 또 일본의 신화에는 〈이자나기〉와 〈이자나미〉라는 신이 나옵니다. 이 두 신은 무지개를 타고 내려오면서 거머리 아이를 낳아 바다에 띄워 보냈다고 합니다.」

「아틀란티스 섬의 전설이 암시하는 것도 바로 그런 것이 아닐까요?」

뤼크레스가 조심스럽게 거들었다.

「그것까지는 모르겠지만, 노아의 대홍수는 인간이 물에서 왔다는 것을 암시하는 것일 수 있어요. 물에서 살아남은 사람의 이야기니까요.」

바로 그때, 억수 같은 비가 퍼붓기 시작했다. 빗방울이 지붕을 때리고 천둥소리가 천지를 진동시켰다.

「아 이건 단지 열대의 소낙비일 뿐이에요. 이 지역에서는 흔히 있는 거예요. 금방 그칠 겁니다.」

맥로린은 그렇게 말했지만, 천둥소리는 하늘이 와르르 무너지는 것처럼 요란했고, 빗줄기는 더욱 거세어졌다.

이지도르는 화제를 바꾸어 아제미앙 교수에 관한 이야기를 꺼냈다. 그는 후드득거리는 빗소리에 묻히지 않도록 목소리에 힘을 주면서 그간의 조사 활동에 관해서 간략하게 설명하고 소피 엘뢰앙 납치 사건으로 이야기를 마무리지었다.

맥로린은 그 이야기에 열띤 관심을 보였다. 그는 진짜 원숭이가 그토록 치밀하고 복잡한 음모를 꾸몄을 리는 없다면서, 소피 엘뢰앙을 납치한 것은 아제미앙 교수의 제자일 가능성이 많다고 말했다. 그녀로 하여금 아제미앙 교수가 발견한 것을 직접 확인하게 함으로써 어떤 목적을 이루려는 자가 있을 거라는 얘기였다.

그는 선반 위에서 지도 한 장을 찾아내어 두 방문자에게 한 지점을 가리켜 보였다. 올도웨이 협곡의 한 구비에 있는 그곳은 아제미앙 교수가 마지막으로 발굴 작업을 벌인 장소였다.

바깥의 천둥비는 그칠 기미를 보이기는커녕 세찬 물줄기가 되어 오두막 위로 쏟아져 내리고 있었다.

「걱정하지 마십시오. 이 집은 튼튼하니까요.」

맥로린의 장담에 답하기라도 하듯 그의 발 밑에서 우지끈하는 소리가 들렸다.

오두막을 받치고 있던 말뚝들이 물의 잇단 공격에 무너지면서, 오두막이 흙탕물의 급류에 휩쓸리기 시작했다. 처음엔 천천히 가라앉는다 싶던 오두막이 이내 아주 빠른 속도로 급류에 빨려 들어갔다. 기겁을 한 맥로린 교수는 값나가는 물건들과 귀중한 화석 몇 점만 대충 챙겨 두 기자를 따라 밖으로 뛰쳐나왔다. 지붕만 남은 그의 집이 난파선처럼 떠가고 있었다.

주위에서 작업을 벌이고 있던 학생들은 비닐 천막 아래로 피신하여 하늘의 분노를 꿋꿋하게 감내하고 있었다.

이지도르가 갑자기 껄껄거렸다.

「뭐가 그렇게 우스우세요?」

뤼크레스가 속삭이는 듯한 음성으로 물었다.

번쩍하는 번갯불에 장난기 어린 이지도르의 퉁퉁한 볼이 드러났다.

「유머가 있음을 보여 주는 것은 우리가 찾는 그 원숭이만이 아니군요. 우연이라는 것의 유머도 그에 못지 않아요. 아니 어쩌면 하느님의 유머라고 해야 할지도 모르겠군요. 재미있다고 생각하지 않으세요? 구원은 물에서 온다고 주장하는 사람이 오히려 자기 집이 물에 떠내려가는 것을 보게 되니 말이에요. 어디 그뿐인가요? 저 집은 진흙탕 속에 묻힘으로써 미래의 세대들을 위한 화석으로 보존될 거예요. 고생물학자의 입장에서 자기 자신이 고생물학의 연구 재료가 되는 것보다 더 대단한 일이 있겠어요?」

맥로린은 바닷 속으로 빠져 드는 여객선처럼 진창 속으로 사라져 가는 자기 오두막의 굴뚝을 멍하니 바라보고 있었다.

이지도르는 마치 사라져 가는 오두막에 애도를 표하기라도 하듯 이렇게 말하였다.

「수십 세기가 흐른 뒤에 우리의 머나먼 후손들이 저 오두막과 저 안에 든 세간들을 발견하게 될 것입니다. 저것들은 두 번째 밀레니엄의 인간 문명을 증언하는 유물이 되겠지요. 그때, 우리 후손들은 이렇게 자문할 겁니다. 〈도대체 이 모든 것들이 다 무엇에 쓰이던 물건일까?〉」

〈하권으로 계속〉

옮긴이 이세욱은 1962년에 태어나 서울대 불어교육과를 졸업하였으며, 현재 전문 번역가로 활동하고 있다. 번역 작품으로 베르나르 베르베르의 『개미』(전5권), 『타나토노트』(전2권), 『상대적이며 절대적인 지식의 백과사전』, 『천사들의 제국』(전2권), 『쥐의 똥구멍을 꿰맨 여공』, 『밑줄 긋는 남자』(카롤린 봉그랑), 『드라큘라』(브램 스토커), 『까트린 이야기』(빠트릭 모디아노), 『속 깊은 이성 친구』(장 자끄 상뻬), 『무엇을 믿을 것인가』(에코와 마르티니), 『세상의 바보들에게 웃으면서 화내는 방법』(움베르토 에코) 등 다수가 있다.

아버지들의 아버지(상)

발행일 ●
1999년   6월 20일   초판   1쇄
2000년   3월 10일   초판 13쇄
2001년   8월 15일   신판   1쇄
2003년 12월 20일   신판 14쇄

지은이 ●
베르나르 베르베르

옮긴이 ●
이세욱

발행인 ●
홍지웅

발행처 ●
주식회사 열린책들
1980년 4월 16일 등록(제13 - 50호)
서울특별시 종로구 통의동 35 - 23
대표 전화 (02) 738 - 7340 팩스 (02) 720 - 6365
www.openbooks.co.kr

ISBN 89-329-0386-7 04860
ISBN 89-329-0385-9 04860(세트)